comer & dormir

CONSEJOS EXPERTOS Y RECETAS SALUDABLES

LIBSA

C/ San Rafael, 4
28108 Alcobendas (Madrid)
Teléf.: 91 657 25 80
Fax: 91 657 25 83
e-mail:libsa@libsa.es
www.libsa.es

Colaboración en textos: María Aldave y equipo editorial Libsa
Edición: equipo editorial Libsa
Diseño de cubierta: equipo de diseño Libsa
Maquetación: equipo de maquetación Libsa
Fotografías e ilustraciones: Shutterstock images, 123RF y archivo Libsa

ISBN: 978-84-662-2407-9

CONTENIDO

PRESENTACIÓN 5

FELICES EN LA CUNA Y EN LA MESA 10

El ajuar del más pequeño

LA LLEGADA AL MUNDO 20

Por fin eres madre • El sueño del recién nacido • El mejor entorno para conciliar el sueño • Aprender a dormir más por la noche • Bebés dormilones • Niños despiertos • La alimentación del lactante • El primer día en casa • El biberón • ¿Come lo suficiente? • El control del pediatra • El cólico del lactante

DE TRES A SEIS MESES 66

Del cuco a la cuna • Prevenir y controlar los problemas del sueño • Hasta cuándo toma el pecho • Fruta y primeras papillas

DE SIETE A DOCE MESES 82

Rutinas para conciliar el sueño • Se resiste a ir a la cama • El puré, un sabor novedoso • La cuchara le interesa • El destete

EL PRIMER AÑO 106

El sueño a partir de los doce meses • Por la noche se desvela • Se despierta muy temprano • Comportamiento en las comidas • Nuevas actividades, otras necesidades • Problemas con la alimentación

DOS Y TRES AÑOS 130

Necesidades de sueño • Métodos para educarle a la hora de dormir • Las pesadillas • De la cuna a la cama • Una dieta equilibrada • Uno más en la mesa • La obesidad

TÉRMINOS USUALES 158

AMERICANISMOS 160

PRESENTACIÓN

Los cinco capítulos que componen este libro recorren la evolución en el dormir y el comer que presentan los bebés desde su nacimiento hasta los tres años de edad incluidos.

Vamos a comenzar con la llegada al mundo del pequeño y los cambios que origina en el organismo de su madre, que se prepara para cuidarlo y alimentarlo adecuadamente. Con ello queremos ayudar a las mujeres y a sus familias a comprender qué ocurre con los cuerpos femeninos tras el nacimiento de su hijo y por qué se sienten emociones tan contradictorias y difíciles de explicar.

Inmediatamente después enfocamos nuestro interés en el recién nacido. Su irrupción en el hogar altera radicalmente las costumbres cotidianas. No lo hace a propósito. Hasta ahora había estado protegido, alimentado y acunado sin ninguna incomodidad. Pero ahora tiene hambre, nota sueño y a veces siente frío. Y tiene que pedir protección de la única manera que sabe: llorando. El asunto estriba en averiguar qué le ocurre cada vez que protesta. No siempre será por la misma razón, pero poco a poco y con la ayuda de este libro, pronto seréis capaces de descubrir los motivos de su desconsuelo y el mejor método para tranquilizarle.

El nacimiento de un bebé marca un antes y un después para su madre, espectadora privilegiada del milagro de la vida y en más de una ocasión desconcertada por la llegada de un nuevo ser.

Según La Organización Mundial de la Salud, la leche materna es el mejor alimento para el bebé hasta los seis meses de edad y todo lo que pueda prolongarse redundará en su beneficio físico y psicológico. Esto no quiere decir que alimentar con biberón sea malo, pero sí merece la pena intentar al menos la lactancia natural.

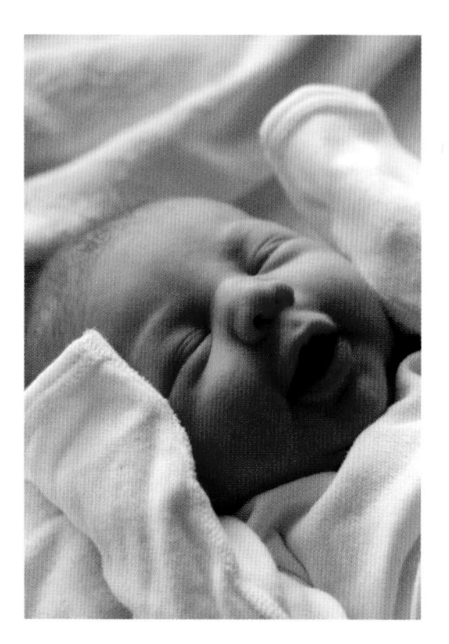

Uno de los temas que más afectan a los padres es que cuando un bebé llega a casa, se acaban las noches en que se dormía de un tirón. Como el estómago del recién nacido es muy pequeño, come muy ligero y eso le hace despertarse hambriento cada poco tiempo. El cansancio de los padres se acumula después de varios días durmiendo mal, y la paciencia disminuye en la misma proporción en que crece el agotamiento.

Sin embargo, con algunos consejos prácticos lograréis sacar el máximo partido a vuestros momentos de reposo. Y es que de lo que se trata es de estar lo más descansado posible para prestar al bebé la atención que necesita.

En esta primera parte, también se abordan cuestiones como preparar la habitación para el recién nacido, cuál es la temperatura más adecuada para su dormitorio, qué ropa es la más cómoda para dormir, o cómo disponer los objetos que necesitáis para cambiarle con facilidad.

Asimismo, se trata el espinoso tema de enseñar al bebé a ir alargando las horas de sueño nocturno y las pautas que se deben seguir para lograrlo, una serie de actividades que se deben observar cada noche de una manera sistemática para que el pequeño las identifique con un reposo más prolongado: un baño relajante, ponerse el pijama, darle la última toma en su dormitorio con luz suave y, por supuesto, hablarle dulcemente para infundirle confianza y sosiego.

Capítulo aparte merecen tanto los bebés muy dormilones como los más despiertos, a quienes dedicamos especial atención, porque su comportamiento requiere unos cuidados algo diferentes de los de la mayor parte de los recién nacidos.

Uno de los temas que más interés despertará en las madres, especialmente en las que han dado a luz a su primer hijo, es el que plantea cómo amamantar a un lactante. En él se explica cómo sube la leche, cómo aliviar unos pechos congestionados y, sobre todo, cuáles son las posturas más cómodas para que madre e hijo disfruten de unos momentos gratos para ambos. También se incluyen, entre otras cuestiones, la alimentación que debe seguir una madre que amamanta a su hijo, cómo implicar a la pareja y al resto de la familia en el cuidado de un lactante, o la opción de la alimentación con biberón. En este último caso se explica detalladamente la preparación de los biberones, su esterilización, los tipos de leche y la postura ideal para alimentar al bebé. Sea cual sea la opción escogida, este libro explica paso a paso cómo afrontarla con éxito tanto por los padres como por el bebé.

Este primer capítulo se cierra con unas páginas acerca del temido cólico del lactante, que aparece entre las tres y seis semanas de edad, y llevan al pequeño a un inexplicable y desconsolado llanto cada atardecer.

El segundo capítulo se ocupa de los niños entre tres y seis meses, una edad maravillosa en la que los primeros miedos por la llegada de un nuevo miembro a la familia se han disipado. Padres e hijos se conocen ya muy bien y el entendimiento entre ellos resulta cada vez más sencillo.

Esta es una etapa en la que conviene poner especial cuidado para prevenir futuros problemas de sueño. Al establecer rutinas, se ayuda al pequeño a distinguir entre el día y la noche, de tal manera que aprende a dormir más durante las horas nocturnas. Además, es el momento de mostrar a vuestro hijo que os tiene a su lado y que cuando os llame, acudiréis junto a él. Esa sensación le proporciona tal seguridad que evita, o al menos alivia, los temores a quedarse solo que pueden aparecer más adelante.

En este tiempo quizá la madre haya terminado su permiso de maternidad y se plantee dejar de darle el pecho a su hijo o, por el contrario, decida continuar. En estas páginas le damos pistas sobre cómo actuar sea cual sea su decisión, con consejos prácticos para almacenar la leche en su ausencia.

Además, esta es la edad en que los pequeños se aventuran con los nuevos sabores que les proporcionan las frutas y las primeras papillas. Lo

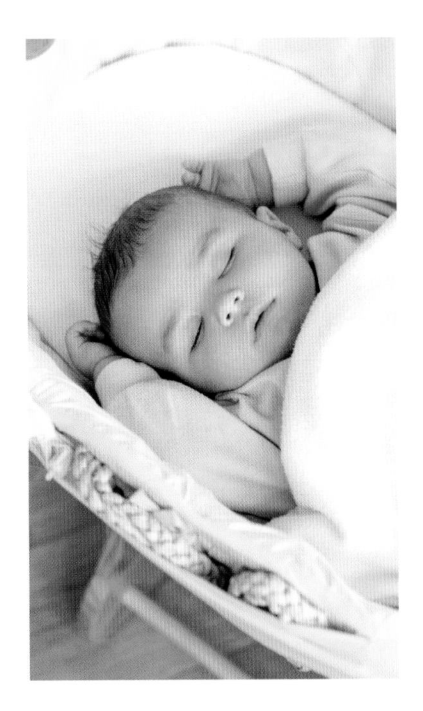

El bebé de seis meses ya come papillas de frutas, cereales y verduras, suele acostumbrarse a dormir más horas seguidas y es mucho más autónomo y expresivo, por lo que puede decirse que es un momento dulce en el que los padres están mucho más tranquilos. Sin embargo, hay bebés a los que les cuesta mucho acostumbrarse a dormir o a saborear nuevos alimentos y pueden hacer de la hora de acostarse o de comer una verdadera pesadilla en la que los padres primerizos se sienten desbordados y perdidos. Todo tiene solución si se toma con serenidad y se traza un plan determinado.

cierto es que cuesta ponerse en su lugar. Hasta ahora todo lo que han conocido desde que nacieron es el agradable sabor de la leche tibia. Pero de repente se encuentran con que en la leche se han mezclado unos cereales que cambian su textura y sabor. Y, por si esto fuera poco, en otro momento, en vez del querido seno materno o el agradable biberón, le ofrecemos una papilla hecha con plátano, manzana y naranja y, encima, pretendemos que se la tome con cuchara. ¿Pensarán que los adultos se han vuelto locos? Seamos flexibles y pacientes con sus primeras comidas.

En nuestra mano está que cada una de sus aventuras sea agradable y divertida; también el comer. El mejor consejo: desechar la impaciencia. Si con cinco meses se niega a probar la fruta, seguro que con seis se anima. Eso sí, siempre que no le hayamos forzado de tal modo que la llegue a aborrecer.

Entre los siete y los doce meses, tema del tercer capítulo del libro, los niños experimentan cambios veloces tanto en el sueño como en su alimentación. Ello se debe a las nuevas actividades intelectuales y físicas que despliegan cada día. En el capítulo se aborda la alimentación más adecuada para un niño que empieza a gatear y quiere dar sus primeros pasos al tiempo que comienza a hablar. El desgaste es monumental, así que el descanso y la dieta deben ser capaces de reponer sus fuerzas a diario. No se trata de obligarle a comer mucho, sino que sea suficiente y de buena calidad.

La trona o la cuna no son un lugar para dejar que pase el tiempo del bebé mientras hacemos otras cosas, ni mucho menos un sitio donde ponerlo para castigarlo. Debemos transmitir al bebé que son lugares seguros y agradables para comer y dormir, y que esas actividades son un descubrimiento maravilloso.

El primer año de vida ocupa el cuarto capítulo. También a esta edad -y en realidad durante toda nuestra vida- el momento de ir a dormir tiene que ser apacible y alegre. El pequeño tiene que percibir su cuna como un lugar placentero. Va a descansar, y tiene que estar seguro de que su madre o su padre están muy cerca y que siempre volverán a buscarle para abrazarle y jugar. Se debe evitar por todos los medios que tenga la sensación de que el lecho es un sitio donde los mayores le aparcan durante un tiempo.

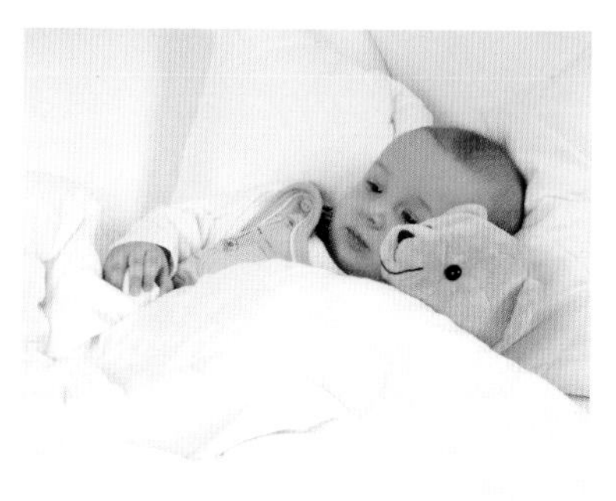

En estas páginas se apunta cuál puede ser el mejor horario para que el niño se acueste, qué hacer con un pequeño que sigue desvelándose por las noches, o algunos trucos para que los más madrugadores sepan entretenerse en su cuna durante un rato permitiendo a sus padres prolongar el descanso algunos minutos.

Lo mismo ocurre con las comidas. Si nos empeñamos en que para evitar que se manche lo mejor es darle el puré sin dejarle participar, tardará más en aprender a manejarse solo con los cubiertos. Un poquito de buen humor y ciertas dosis de paciencia harán de las comidas momentos divertidos y más instructivos de lo que creemos. Debemos invertir en la salud del niño con vistas de futuro, porque lo que aprenda a comer de niño se incorporará para siempre en su dieta.

El libro aborda igualmente los problemas que pueden presentarse con los cambios que se introducen en la alimentación a medida que los niños van creciendo. Destacan las alergias a determinados productos, cómo reconocerlas y qué hacer si aparecen.

El último capítulo de este trabajo tiene como objetivo el niño de dos y tres años. Empieza con las necesidades de sueño a esta edad, cómo ayudarlo a hacer frente a sus temores al caer la noche, qué hacer para que dejar la cuna y pasar a la cama sea fácil, y cuál es la actitud más positiva ante las pesadillas y los terrores nocturnos. En estas páginas hemos recogido, asimismo, distintos métodos que pueden seguir los padres para corregir a sus hijos cuando presentan dificultades para dormir exponiendo las ventajas y desventajas de cada uno de ellos. Porque no existen reglas fijas ni normas estrictas, sino distintos modelos de niños y de familias.

Por último, se plantea la cuestión de educar a un niño de manera que sepa comportarse en la mesa y se ofrecen claves para hacerle partícipe de las tareas de la cocina con el fin de que comer se convierta en algo más que saciar el hambre.

En definitiva, este volumen trata de facilitar la vida de una familia en la que irrumpe un pequeño que durante años va a mantener a todos sus miembros ocupados, pero también divertidos. Además, se ha concebido como una guía práctica gracias a la cual desechar temores y afrontar con seguridad los sucesivos retos. La idea es disfrutar con cada experiencia que plantea un niño durante su crecimiento e intentar que él sea feliz. Es la única manera de conseguir que todos en casa sean felices. Iniciamos el hermoso camino de enseñar el mundo a nuestro hijo y es seguro que serán los mejores años de nuestra vida.

El comensal no nace siéndolo. Si bien es cierto que algunos niños tienen más apetito o más facilidad para aceptar sabores y texturas nuevas, en general, todos deben habituarse a comer alejándose de la protectora leche que tomaban de bebés. Es nuestra responsabilidad convertirlos en pequeños gourmets que se preparen para el futuro.

FELICES EN LA CUNA Y EN LA MESA

Nada transmite más paz que un niño durmiendo. Su suave y acompasada respiración, sus mejillas sonrosadas y su cabello humedecido por el sueño profundo infunden quietud y dulzura. Dan ganas de abrazarlo para siempre. Entre los secretos para lograr un buen sueño se encuentran una alegre y placentera comida y, por supuesto, una

correcta digestión. Un pequeño que ha comido con gusto y se ha divertido tratando de sujetar el biberón o probando nuevos sabores se ha alimentado tranquilo, sin estrés, y su estómago procesará los alimentos ingeridos sin dificultad. De todo ello trata este libro. Y también de cómo conseguir que la familia se divierta con ello.

EL AJUAR DEL MÁS PEQUEÑO

Sábanas, colchas, toquillas, biberones, esterilizadores... Los preparativos para un hogar que espera la llegada de un bebé parecen infinitos y aturden incluso a la persona más organizada. Este capítulo quiere ser una pequeña guía para los padres que deseen saber exactamente qué es lo imprescindible para asegurar el descanso y la alimentación de su nuevo hijo.

Unas semanas antes de que el bebé nazca es aconsejable que vayáis reuniendo un pequeño ajuar con lo indispensable. Con el paso de los meses los padres lo podréis ir ampliando con otros utensilios y ropa, al tiempo que desecháis lo que vais dejando de usar. La idea clave de estos preparativos es tener a mano todo lo imprescindible para el cuidado del recién nacido sin temor a que falte nada esencial. Los primeros días las atenciones al lactante son lo primordial y hay que evitar en lo posible preocupaciones innecesarias.

Algunos padres, por falta de experiencia, olvidan hacerse con objetos esenciales cuya ausencia les sorprende desagradablemente cuando nace el bebé. Otros acumulan demasiada ropa y artículos de bebé, y se sienten sobrepasados. Para evitar estos errores típicos de primerizos, tomad nota de la canastilla ideal.

Si ya habéis tenido un hijo antes, os será sencillo decidir qué necesitaréis en los momentos iniciales. Pero si estáis esperando vuestro primer bebé, estas páginas pueden serviros como punto de referencia.

El ajuar básico para que vuestro nuevo hijo duerma y coma bien incluye la ropa de cama, el vestuario del pequeño y todo el material básico para alimentarle correctamente, así como para su higiene personal.

ROPA DE VESTIR

Las cantidades del vestuario de un bebé que se señalan a continuación son aproximadas. No pasa nada por tener un pijama más o menos de los que aquí se indican. De lo que se trata es de tener ropa suficiente para poder cambiarle con la seguridad de que se tiene tiempo suficiente para lavar y secar la sucia. Como durante los primeros meses de vida los niños cambian de talla a la velocidad de la luz, tampoco hace falta que vuestro pequeño disponga de un extenso fondo de armario. De hecho, si tenéis la suerte de que algún familiar o conocido os pueda prestar alguna prenda, os vendrá muy bien. Olvidaos de que todo debe ser nuevo: los bebés dejan todo impecable.

Por otra parte, en el siguiente listado de prendas no solo se enumera lo que estrictamente se va a utilizar por las noches. También se menciona la ropa de día porque los lactantes duermen muchas horas y vuestro deber es que se encuentre siempre cómodo y así nada interferirá en sus periodos de sueño.

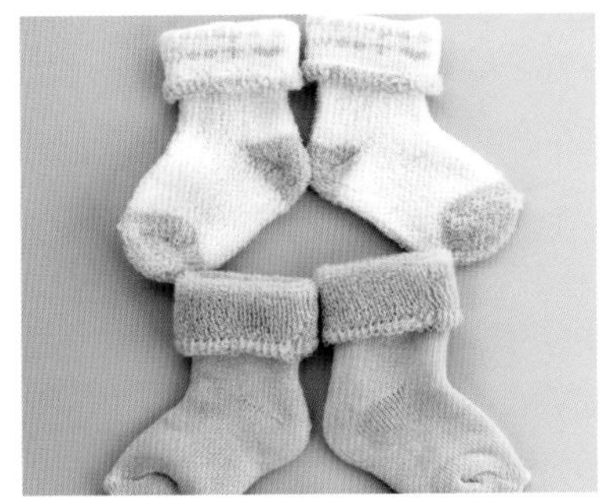

- Cuatro o cinco bodies
- Cuatro pijamas
- Cuatro o cinco trajes y/o vestidos
- Dos o tres jerséis
- Tres pares de calcetines
- Dos gorritos para el frío o para el sol, según la época
- Un mono de abrigo completo si nace en invierno

PRENDAS POCO ÚTILES

- Olvidad las incómodas camisas interiores para atar con lazos, que nunca terminan de colocarse sin arrugas, y haceos con cuatro o cinco bodies. Se abrochan en la entrepierna con unos prácticos corchetes y se adaptan al cuerpo del bebé a la perfección. La decisión de que sean de manga larga o corta dependerá de la época en que el niño vaya a nacer.

- Fuera patucos y zapatos. Por muy bonitos que sean apenas se utilizan. Para mantener calientes los pies de un lactante lo más cómodo son los pantalones y pijamas que incluyen los pies. Si en verano lo que queréis es ponerle alguna prenda corta, unos bonitos calcetines serán suficiente complemento.

- Los tradicionales faldones son preciosos, pero poco útiles. En realidad, en el día a día no querréis saber nada de ellos y seguramente solo se los pondréis en alguna ocasión especial, así que son totalmente prescindibles. Si vuestro hijo es muy movido, con un faldón terminará con las piernas al descubierto, la tela se arrugará alrededor de su cuerpo y la incomodidad le hará protestar.

ROPA DE CAMA

El objetivo fundamental a la hora de elegir la ropa de cama para el bebé es que duerma placenteramente el máximo de horas posible. Necesita reponer fuerzas para crecer sano y sentirse feliz. Así pues, aparte de la atención que habéis de poner en la elección de la cuna y el colchón para

Las preciosas primeras puestas de tipo faldón o ropita de encaje nos tientan por su belleza y por su inconfundible sabor a nuestra propia infancia, pero debemos ser prácticos: hoy en día existe multitud de ropita de algodón para bebé, más fácil de lavar y planchar, y mucho más cómoda para el libre movimiento del recién nacido.

vuestro hijo, la ropa con la que vestirlos es importante. Que sean tejidos naturales para evitar alergias.

- Dos protectores de colchón. Son muy útiles para mantener el colchón siempre en perfecto estado de revista.

- Dos o tres sábanas bajeras ajustables. Es aconsejable que sean de un tejido natural para evitarle roces innecesarios a la delicada piel del recién nacido.

- Dos o tres sábanas encimeras.

- Un saco para dormir. Con él os aseguraréis de que el niño permanece tapado por la noche. Su grosor dependerá de la época del año.

- Una manta o toquilla si no os gusta la idea del saco. También os servirá para sustituir el saco si por accidente se ensucia.

Si no te gustan los sacos de dormir, hay una alternativa en el mercado que consiste en usar sábanas de seguridad. Son sábanas especiales con un sistema para evitar que el bebé se destape o se pueda caer de la cama y permiten hacer la cuna o la cama del modo tradicional. Y recuerda: cojines y almohadas, solo de adorno.

ROPA DE CAMA INNECESARIA

- Nada de almohadas en la cuna de un recién nacido. Son peligrosas y no las necesita. Por tanto, las fundas de almohada tampoco hacen falta.

- Apartad de vuestros proyectos de decoración infantil las colchas difíciles de lavar o que necesiten un buen planchado para lucir. Cuando nace un bebé queda poco tiempo para ese tipo de tareas. Si

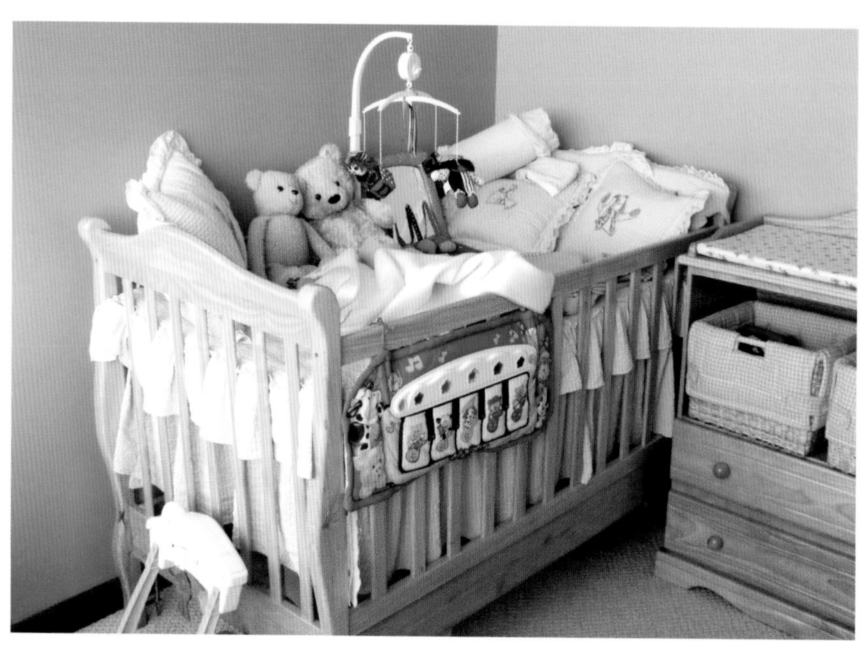

deseáis poner colcha en su cuna, escoged una fácil de lavar y que no necesite cuidados extra para estar presentable.

ROPA PARA EL COCHECITO

Hoy en día muchos coches de paseo llevan incorporado un saco que protegerá al niño de las inclemencias del tiempo. Normalmente, los lactantes terminan durmiendo algunas horas al día durante sus paseos. De ahí que de nuevo la comodidad del pequeño sea fundamental para su descanso. La ropa con que le vestís para pasear tiene que proporcionarle bienestar y nunca incomodidad.

Si optáis por un modelo convencional, necesitaréis sábanas y toquilla o manta para el cochecito. Las versiones más innovadoras llevan incorporados útiles protectores y fundas para que el pequeño se encuentre resguardado tanto del frío como del sol.

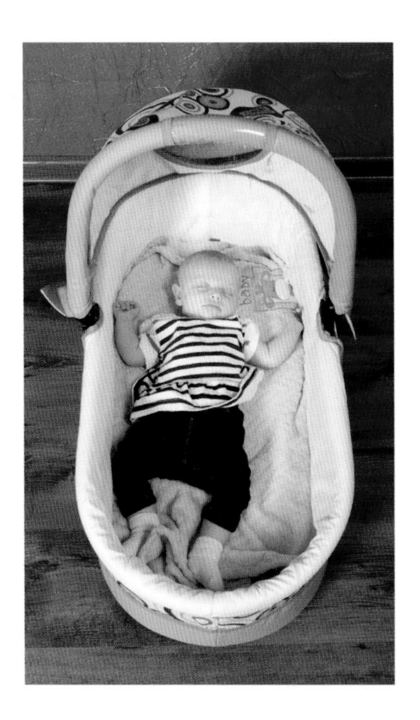

Si es invierno, el cochecito debe llevar un saco, pero en verano hay que evitar abrigar al bebé y sí es imprescindible una sombrilla que le proteja del sol. También es útil llevar un plástico protector para la lluvia, pero solo debemos utilizarlo cuando llueve y no ponerlo porque haga frío, ya que eso le resta aire puro.

EL BOLSO DEL COCHECITO

Cuando salgáis de casa con vuestro pequeño, es importante que llevéis con vosotros un bolso en el que incluyáis todo lo que podéis necesitar. Un pañal sucio impedirá el descanso del bebé y un ataque de hambre le llevará al llanto más desesperado. No pueden faltar:

- Pañales
- Toallitas
- Ropa de recambio
- Babero

Además, si le estáis alimentando con leche maternizada debéis llevar:

- Agua esterilizada en un termo que la mantenga templada
- Leche
- Biberón

ÚTILES PARA LA ALIMENTACIÓN

Si la madre ha optado por darle el pecho a su hijo, apenas va a necesitar nada. Ella misma produce la leche a la temperatura ideal y con una higiene básica de sus senos, (lavarlos y secarlos suavemente antes y después de cada toma) puede olvidarse de la esterilización.

Para la madre: a una mujer que amamanta a su hijo le serán de utilidad los siguientes artículos:

- Dos sujetadores de lactancia. Actualmente se ha mejorado mucho el diseño de esta lencería maternal. Las copas se abren por separado y

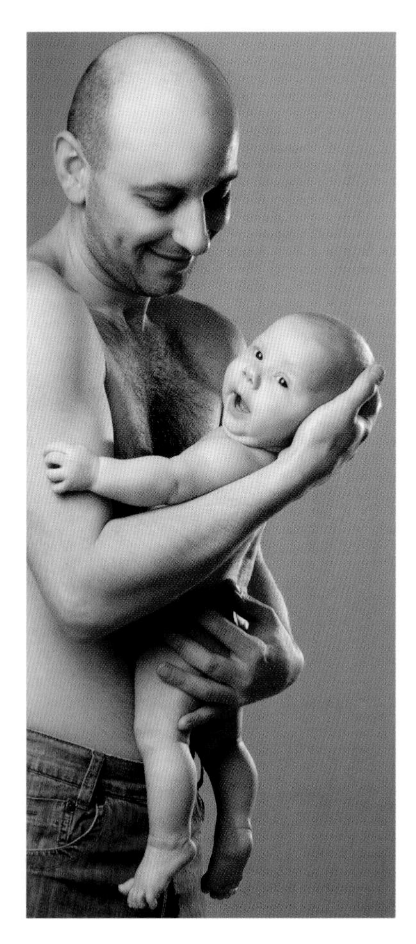

Siempre que salgamos de casa debemos llevar un biberón, un babero, un botellín de agua mineral y un recipiente individual con una dosis de leche maternizada. De este modo, si el bebé tiene hambre, podremos prepararle un biberón en cualquier lugar, tan solo pidiendo que nos templen el agua del biberón.

resultan realmente prácticos para dar el pecho en cualquier lugar y a la hora que sea preciso.

- Una caja de discos absorbentes. Se introducen en el interior del sujetador y evitan que las pérdidas de leche manchen la ropa.

No obstante, es conveniente tener a mano algún pequeño biberón por si decidís darle algún extra, como, por ejemplo, una infusión aconsejada por el pediatra. En ese caso tenéis que saber que después de cada uso, biberones y tetinas deben ser esterilizados y tenerlos listos para su próxima utilización.

Cuando se decide dar de comer a un recién nacido con biberón, los padres deben procurarse una serie de materiales mínimos. El primero y más importante, claro está, es el biberón. Con cuatro o cinco unidades es suficiente. Desde luego se trata de un número aproximado y nada ocurre si se tienen menos de cuatro biberones. Entonces, ¿por qué en estas páginas se aconseja esa cantidad? Para evitar la presión de tener que lavar y esterilizar el biberón cada vez que dais una toma a vuestro bebé.

Tened en cuenta que cuando nazca vuestro hijo, lo que menos tendréis es tiempo. Imaginad que al niño le toca comer. Entonces le preparáis el biberón, se lo dais y lo ayudáis a expulsar el aire que haya podido tragar. Es posible que después tengáis que cambiarle el pañal y ayudarlo a dormir o, si no tiene sueño, acompañarle y jugar con él. Todo ello requiere su tiempo. Si solo tenéis un biberón en casa, cuando conseguís un momento libre, en vez de descansar u ocuparos de otros quehaceres –niños mayores de la familia, gestiones ineludibles–, tendréis que dedicaros a lavar y esterilizar el biberón. No lo podéis posponer para más tarde. Los recién nacidos comen cada pocas horas, con suerte cada tres. En pocos minutos vuestro hijo reclamará una nueva toma y para entonces el biberón deberá estar ya listo para un nuevo uso.

QUÉ HACE FALTA PARA ESTERILIZAR BIBERONES

- Una cazuela grande: es el método tradicional y quizá la más barata de las opciones. Solo se necesita una gran cacerola en donde introducir los biberones. Se cubren de agua del grifo y se acercan al fuego para tenerlos en ebullición durante 10 minutos. Pasado ese tiempo, se retira la cazuela del fuego, se sacan los biberones del agua y se dejan secar en un lugar limpio.

- Esterilizador con vapor: se trata de un aparato eléctrico en el que se introducen los biberones previamente lavados para que los esterilice con vapor.

- Esterilizador para microondas: es un recipiente en cuyo interior se colocan los biberones ya lavados y se introduce en el microondas durante los minutos que cada fabricante aconseje.

- Método frío: en un recipiente apropiado, se prepara una mezcla de agua con una sustancia desinfectante en la cual se sumergen los biberones y en la que deben permanecer alrededor de una hora.

Entre madre e hijo se establece un vínculo especial. Este apego le transmite al bebé seguridad, sosiego y sensaciones placenteras. La relación temprana y positiva del niño con su madre es fundamental para el desarrollo posterior del bebé como persona durante el resto de su vida.

CINCO PUNTOS BÁSICOS PARA LA MAMÁ

• **Apoyo.** Si cuando regreses a casa con el bebé te sientes muy cansada, sufres depresión posparto o simplemente te ves superada por la situación, pide ayuda a tu pareja. Su apoyo y comprensión serán suficientes para que todo vaya mejor.

• **Organización.** Ten preparado el ajuar básico antes de que nazca el bebé y una vez que esté en casa, organiza el trabajo de mayor a menor importancia. Lo primero es cuidar del bebé. Lo segundo es tu descanso. Todo lo demás puede esperar.

• **Aprende a delegar.** Aunque solo tú puedes dar el pecho a tu bebé, cualquier otra persona de la familia puede cambiarlo, acunarlo o llevarle a dar un paseo. Aprovecha para relajarte y déjate ayudar, pues tu buen o mal estado anímico también se transmite al bebé.

• **No seas una supermamá.** Es normal sentirse fatigada y desbordada. No te sientas culpable, no vayas de víctima, pero tampoco caigas en el error de disimular que tú sola puedes con todo. Además, no prives a tu pareja del placer y la responsabilidad de cuidar al bebé.

• **Disfruta.** El nacimiento de tu hijo será un momento que no olvidarás jamás. Trata de disfrutar de cada instante, intenta que todos los minutos que estéis juntos sean de felicidad.

INCORPORACIÓN DE ALIMENTOS A LA DIETA INFANTIL

COMIDAS	CEREALES	ZUMO	VERDURAS COCINADAS	FRUTAS	LÁCTEOS SIN GRASA	OTROS
6 MESES	arroz, cebada, avena	Mitad agua y mitad zumo: naranja, manzana, pera, uva blanca	patata, puerro, zanahoria	manzanas, peras, plátanos, naranjas		
7 MESES		Mitad agua y mitad zumo: melocotón, nectarina, ciruela	calabacín	nectarinas, melocotones, ciruelas, ciruelas pasas		
8 MESES	solo grano de trigo	Mitad agua y mitad zumo: albaricoque, arándano, zanahoria	Judías verdes, habas	albaricoques, (secos o cocidos), arándanos, sandía sin pepitas	requesón	yema de huevo, arroz, fideos de arroz, galletas para bebés
9 MESES		Mitad agua y mitad zumo: uva roja, melón, néctar de papaya	brócoli, coliflor, espinacas	melón, papaya	yogur	jamón
10 MESES		Mitad agua y mitad zumo (opcional): kiwi, cereza	col, pimientos, perejil, apio	kiwi, mitades de cerezas (sin hueso)	queso en crema, mascarpone, mozzarella fresco o suave	legumbres (lentejas y garbanzos)
11 MESES	arroz, trigo, avena, cebada, multigrano	Mitad agua y mitad zumo (opcional): arándanos, piña, frambuesa	coles de Bruselas, nabos, remolacha, lechuga, escarola, guisantes	piña, pasas de uva, uvas, higos, frambuesas	ricotta, queso Cheddar, cabra, queso parmesano, romano	alubias blancas y negras

10 NORMAS DE SEGURIDAD BÁSICAS PARA LA COMIDA

• **Limpieza.** Lávate las manos cuidadosamente antes de manipular cualquier alimento y también mientras estás cocinando. Limpia todas las superficies, las junturas, y los utensilios con agua y jabón y enjuágalos bien. Se deben desmontar pieza a pieza las batidoras, licuadoras, ollas y aparatos de comida para bebé después de cada uso para lavarlos bien. También debemos secar cada parte con un paño limpio y seco antes de montar las piezas de nuevo.

• **Frescura.** Consume alimentos frescos y de calidad que hayan sido almacenados en recipientes limpios y a temperaturas de refrigeración correcta (entre 1 °C y 3 °C). Las frutas frescas y las hortalizas debe ser consumidas a los pocos días de haberlas comprado para preservar las vitaminas, las hortalizas de raíz se pueden almacenar por lo menos una semana.

• **Frutas y hortalizas.** Lava y/o pela todas las frutas y hortalizas. Quita las pepitas.

• **Carnes y pescados.** Enjuaga el pescado y la carne antes de prepararlos. Quita la piel, los huesos, los cartílagos y la grasa.

• **Triturar.** Pica los alimentos duros, semillas y nueces. Hazlos puré o córtalos en trozos pequeños adecuados a la edad de tu bebé. Utiliza la leche materna, la de fórmula o el agua mineral para conseguir en la papilla la consistencia deseada.

• **Cocina sana.** El microondas, el vapor, el salteado, la plancha y el asado son modos más saludables de cocinar. Si tienes que hervir algún alimento, hazlo con poco agua y guarda el agua de la cocción para añadir después a las sopas o purés.

• **Bien cocinado.** Cocina las carnes a un mínimo de 74 °C, de manera que pase de su color rosado a un marrón uniforme.

• **Condimentos.** No añadas sal, pimienta, azúcar ni otros condimentos a la comida del bebé hasta que cumpla al menos un año.

• **Restos.** No guardes los restos de comida que queden en el plato del bebé. Si te sobra comida, puedes congelarla enseguida y consumirla en menos de cuatro días.

• **Temperatura justa.** Los niños son más sensibles al cambio de temperatura que los adultos, así que ten precaución con las comidas muy frías o calientes, debes estar segura de que no se quemará.

Una alimentación adecuada es fundamental para que el niño crezca sano y fuerte. Una educación alimentaria correcta en los primeros años del niño repercute positivamente en su salud y su capacidad para aprender a relacionarse. Una dieta infantil saludable no abusa de las grasas vegetales y debe incluir abundancia de frutas y verduras. Una buena alimentación ayuda, además, a combatir mejor las enfermedades infantiles.

Han pasado nueve meses en los que habéis imaginado cómo sería vuestro bebé, habéis generado unas expectativas y vuestros sueños y esperanzas por fin se ven cumplidos con el nacimiento de vuestro hijo. A partir de este momento, vuestra vida va a sufrir un cambio radical en el que el principal interés será ese niño. No menos cambios va

LA LLEGADA AL MUNDO

a sufrir vuestro bebé. Acostumbrado al silencio, la paz, oscuridad y calor del vientre materno, en pocas horas debe afrontar un mundo luminoso y ruidoso, debe respirar por sí mismo, regular su temperatura, comer, etc. Y a partir de entonces, ya será siempre así: un mundo cambiante que convertirá a ese frágil bebé en un niño autónomo.

POR FIN ERES MADRE

Después de tanta espera ya tienes a tu bebé en brazos. Te sientes diferente y no es para menos. Has llevado mucho tiempo a tu hijo en tu interior y ahora está ahí, contigo. El cambio es tremendo. Físicamente has dejado de estar embarazada pero tampoco te encuentras como antes de la gestación. Y emocionalmente te sientes como una montaña rusa. Es normal, no te preocupes. Lo mejor es entender qué pasa para superar todos los miedos. Cuando una mujer da a luz, su organismo pone en marcha una serie de mecanismos para ser capaz de alimentar a su hijo y al mismo tiempo elimina elementos que al finalizar la gestación ya no necesita. Ello implica unas transformaciones tan drásticas que te puedes sentir desorientada.

Tener un recién nacido entre los brazos y ocuparse de él para que duerma y coma de forma que tenga un desarrollo saludable es una tarea gratificante, pero totalmente novedosa para unos padres primerizos. Quizá hayas tenido ya contacto con algún lactante y sepas manejarte en las distintas situaciones que un bebé presenta. Veamos cómo te enfrentarías a algunas de ellas.

EL PUERPERIO

Así se denominan las seis semanas posteriores al parto en las que el cuerpo de la mujer vuelve poco a poco a la situación anterior al embarazo. En esta etapa tienen lugar los siguientes fenómenos:

La subida de la leche. Tiene lugar los primeros días inmediatos al parto. Este proceso puede resultar realmente molesto para algunas mujeres, que experimentan tirantez e incluso dolor en las mamas. Para aliviar la incomodidad es útil poner en los senos paños humedecidos con agua muy caliente. En los casos más extremos puede desembocar en mastitis, una inflamación dolorosa que a veces provoca fiebre.

Expulsión de los loquios. Los loquios son restos de sangre que quedan en el útero. Se trata de un proceso que se prolonga entre cuatro y cinco semanas. Si se observa que tienen olor desagradable, se debe consultar con el médico, pues puede ser síntoma de infección.

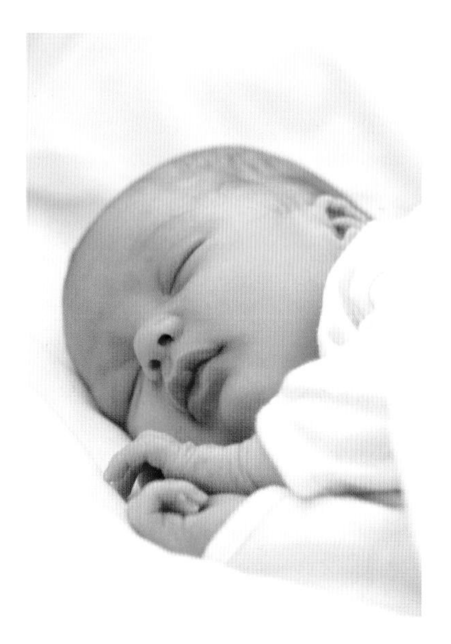

El útero recupera sus medidas. En seis semanas pasa de tener el tamaño cercano al de un balón de fútbol de un kilo de peso al de una fruta de 50 gramos. Amamantar estimula esta recuperación.

Caída del cabello. Los estrógenos que posibilitaron el embarazo también impidieron que el pelo se cayera normalmente. Así que con el posparto se pierde todo el cabello que no se cayó durante la gestación.

Hemorroides y estreñimiento. Los esfuerzos del parto pueden provocar la aparición de hemorroides, mientras que la recuperación del funcionamiento del aparato digestivo podría dar lugar a unos días de estreñimiento. Una buena higiene íntima, una dieta rica en frutas y verduras, algo de ejercicio y, sobre todo, la consulta con el ginecólogo, son las claves para superar estas incomodidades.

LA DEPRESIÓN POSPARTO

Los cambios hormonales son de tal envergadura que quizá te encuentres desorientada. Tenías tantas ganas de ser madre y, sin embargo, hay momentos en que te sientes abatida. ¿Por qué? Este fenómeno es una combinación de variaciones hormonales y cansancio por las exigencias que conlleva el cuidado del bebé.

Algunos especialistas creen que solo se puede hablar de depresión posparto si el estado de abatimiento se prolonga durante más de dos semanas. La consulta con el ginecólogo y, sobre todo, la ayuda y comprensión de la pareja y la familia facilitarán la superación de esta crisis.

RETOMAR LA ACTIVIDAD SEXUAL

Antes de volver a tener relaciones sexuales plenas es aconsejable esperar 40 días para dar tiempo al organismo a una recuperación máxima. Esto es especialmente recomendable si durante el parto hubo algún desgarro o si fue necesario practicar la episiotomía, un pequeño corte en la vulva para facilitar la salida del bebé.

LA REGLA

Después de dar a luz, las mujeres pasan unas semanas sin tener la regla hasta que el aparato reproductivo restablece su actividad anterior a la gestación. El tiempo que tarda en reaparecer la menstruación varía según los casos: si se opta por la lactancia natural, puede tardar en volver hasta un año; en cambio, con la lactancia artificial puede aparecer dos meses después del parto.

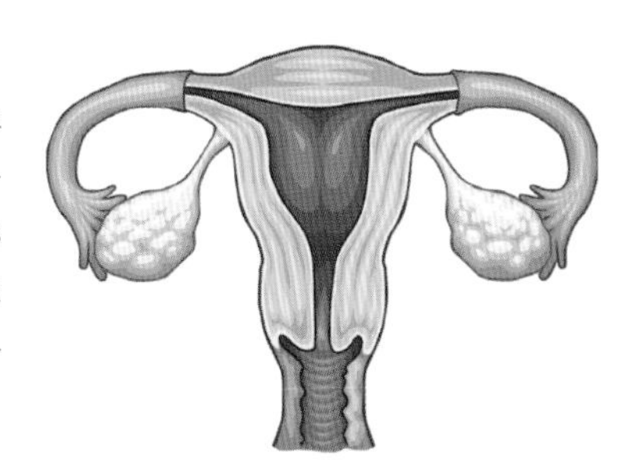

LA MASTITIS Y EL CUIDADO DE LOS SENOS

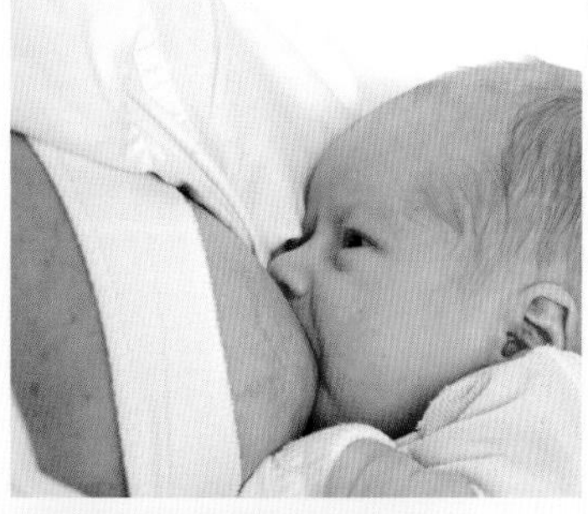

A algunas mujeres la subida de la leche les provoca una hinchazón de los senos dolorosa, que en ocasiones puede ir acompañada de fiebre. El único modo de aliviar la molestia es vaciar el pecho de leche. Como la inflamación impide al bebé succionar del pezón, lo mejor es dar baños de agua caliente a los senos y luego vaciarlos un poco con las manos o con ayuda de un sacaleches.

Una vez aminorada la hinchazón, la madre puede amamantar al bebé, lo que la aliviará de inmediato. Después del parto es importante que la mujer lleve siempre un buen sujetador que impida que sus pechos se estropeen. Además, debe ser de un tejido natural, como el algodón, para evitar en lo posible irritaciones que terminen en molestas grietas.

SENTIRSE GUAPA

Al salir del hospital y llegar a casa, quizá sea mejor que te olvides de esos vaqueros ajustados que tanto te gustaban antes de quedarte embarazada. No puedes esperar que después de nueve meses de embarazo tu cintura y tus muslos vayan a recolocarse en apenas tres días. Así que ten paciencia y tómate las cosas con calma.

Cuando el bebé nace, solo con la salida del pequeño junto con el líquido amniótico y la placenta pierdes entre cinco y seis kilos. Luego, durante la primera semana, rebajarás otros tres kilos por la eliminación del líquido retenido en el organismo durante la gestación. Y te quitarás de en medio otro kilo más en las siguientes seis semanas con la vuelta del útero a sus dimensiones habituales.

Ya solo con esta información sabes que en apenas un par de meses te habrás librado de nueve kilos. De todas maneras, cuando te encuentres con fuerzas suficientes, hay dos cosas que puedes hacer para acelerar tu recuperación física:

- Come con un poco de cabeza: evita los dulces industriales y el exceso de grasa. Por el contrario, aumenta la ingesta de frutas, verduras y legumbres, y toma abundante agua.

- Realiza algo de ejercicio: unos paseos con tu pequeño son beneficiosos para ambos.

De este modo, en pocas semanas recuperarás la figura. Pide apoyo a tu familia o a tu pareja para poder acercarte a una peluquería. Recupera ropa amplia de tu armario, maquíllate ligeramente y ponte algo alegre. El objetivo es que cuando te mires al espejo no veas un rostro apagado y tristón. Para cuidar de tu pequeño necesitas sentirte bien.

EJERCICIOS PARA TONIFICAR DESPUÉS DEL PARTO

Existen infinidad de ejercicios para fortalecer tus músculos abdominales después del parto.

1. Recuéstate de espaldas con las rodillas en ángulo recto y la cabeza apoyada en el suelo.
2. Al inhalar dobla las piernas y al exhalar, estíralas.
3. De espaldas en el suelo, levanta las piernas en ángulo recto y crúzalas. Con las manos detrás de la nuca levanta y acerca la cabeza a las rodillas.
4. Tumbada boca abajo, levanta cintura, tronco y cabeza estirando la espalda y contrayendo los glúteos.

EL SUEÑO DEL RECIÉN NACIDO

Mientras tú estás aprendiendo a cuidar de un bebé, tu pequeño empieza a aprender cómo se vive aquí fuera. Hasta ahora ha estado protegido, alimentado y acunado sin sentir apenas incomodidades. Pero ahora tiene hambre, nota sueño y a veces frío. Todo ello es nuevo para él y llevará algún tiempo conciliar sus horarios con los de los adultos.

Acaba de llegar y no sabe que en su casa se cena a las nueve ni que sus padres duermen ocho horas por las noches. Así que prepárate para unas jornadas completamente distintas a lo que eran hasta ahora. El bebé tiene hambre cada poco tiempo y apenas te deja descansar. Veamos cómo podemos ir adaptándonos unos a otros en los primeros días.

CÓMO DUERME

Nada más nacer un niño se comporta como surge. Puede dormir cinco horas, despertarse durante 10 minutos, dormir otra hora, volver a despertarse para mantenerse desvelado otras dos horas, etc. Es lo contrario al orden. Tiene que ir adaptando poco a poco su organismo a una nueva forma de funcionar. Su estómago es muy pequeño y se llena en seguida, pero también hace la digestión muy rápidamente y vuelve a tener hambre al momento. Así que es normal que cada dos o tres horas se despierte porque realmente tiene hambre, no porque sea un malcriado; no le ha dado tiempo a serlo.

Por otra parte, todos los bebés son distintos entre sí, y eso incluye el sueño que necesita cada uno. Algunos dormirán prácticamente todo el día y otros serán capaces de mantenerse desvelados un par de horas seguidas. Ten en cuenta esas diferencias cuando empieces a cuidar de tu pequeño y no lo compares con otros.

FASES DEL SUEÑO DE UN BEBÉ

Las pautas de sueño del ser humano se empiezan a formar antes del nacimiento, desde que el feto está en el útero. La primera que aparece es la fase REM (del inglés *Rapid Eye Movement*, movimiento rápido del ojo), denominada también fase de sueño activo, y se puede detectar en fetos de seis y siete meses de gestación. A su vez, la fase no-REM o de sueño tranquilo, como también se la conoce, aparece en fetos entre los siete y los ocho meses de gestación, pero en proporciones muy inferiores a las de la fase REM.

Lo cierto es que en los recién nacidos el 50% de su sueño se ocupa en fase REM, tiempo que se mantiene hasta los tres años de edad, cuando disminuye hasta un 33%. Por último, los adolescentes y los adultos pasan un 25% de su sueño en fase REM. Ello es así porque durante el sueño activo el bebé continúa su desarrollo cerebral gracias a los estímulos sensoriales que recibe del exterior.

CÓMO SABER EN QUÉ FASE DE SUEÑO ESTÁ

Exteriormente es posible identificar en qué fase del sueño se encuentra un niño:

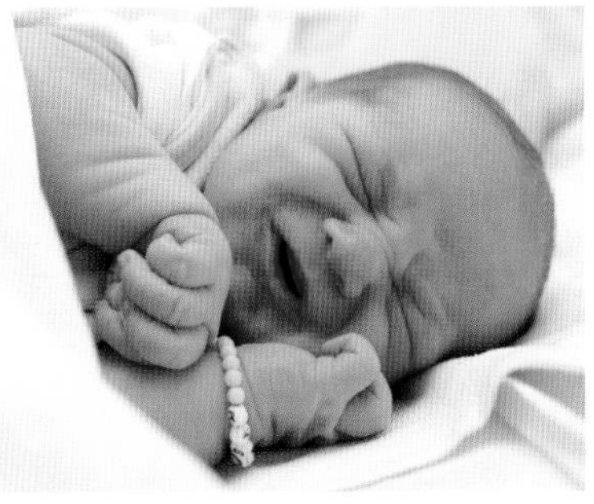

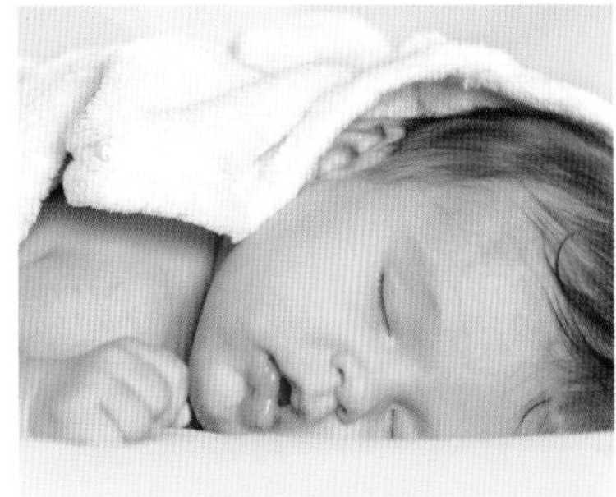

- Si se ven movimientos en sus párpados, sus labios parecen esbozar alguna sonrisa y la respiración es irregular, está en fase de sueño activo.
- Por el contrario, si los músculos faciales están totalmente relajados y respira profunda y acompasadamente, está en sueño no-activo.

La fase de sueño activo se determina con movimientos en los párpados, respiración irregular y si se esboza alguna sonrisa (foto central). Por el contrario, la fase de sueño no-activo (fotos 1 y 3) viene determinada por la relajación total y una respiración profunda y acompasada.

Esos tiempos de fases REM y no-REM acompañan al bebé después de su nacimiento durante varias semanas. Cuando el bebé se duerme, entra en fase REM, y sale del sueño y entra en él varias veces al día. Por eso se despierta mucho más a menudo que un niño mayor. Obligarle a que se mantenga mucho tiempo despierto para que duerma luego varias horas seguidas es un esfuerzo inútil que apenas tendrá el resultado buscado. Hay que esperar a que el cerebro del pequeño vaya madurando y no todos los niños lo hacen en tiempos iguales.

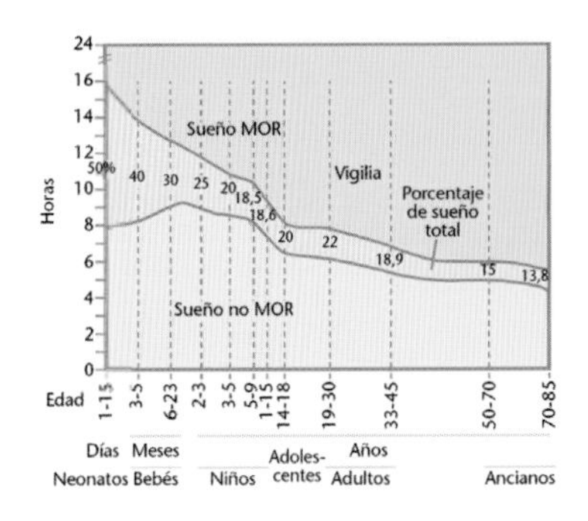

En el gráfico se observa la evolución del sueño desde el nacimiento hasta la etapa adulta. El porcentaje total de horas de sueño disminuye con la edad, de modo que los recién nacidos pasan mucho más tiempo dormidos que los niños, adolescentes, adultos y, sobre todo, ancianos. Lo que en el gráfico se llama MOR equivale en castellano a la fase REM (MOR: Movimientos Oculares Rápidos). Los datos del gráfico son orientativos, pues no hay dos personas iguales y unas necesitan descansar más que otras; por eso, las madres primerizas no deben preocuparse ni comparar a su hijo con los demás.

CONSEJOS PARA LOS PRIMEROS DÍAS

Concédete tiempo a ti misma y a tu pequeño para conoceros. Los sonidos de un bebé que duerme tienen varios significados y no siempre indican hambre. Quizá con arroparlo o acariciarle suavemente el pequeño continúe durmiendo.

Puede que se encuentre incómodo y que con cambiarle de postura prosiga su sueño tan tranquilo. Solo algunos recién nacidos tienen la fuerza suficiente para manejar el propio cuerpo a su antojo.

A lo mejor tiene frío o demasiado calor. Observa la temperatura de la habitación en que se encuentra y sopesa si puede que se esté quejando por un factor ambiental.

¿Estará incómodo con el pañal? Podría estar mal colocado o lo suficientemente sucio como para molestarle.

Es posible que simplemente necesite expulsar aire y que con tomarle en brazos unos minutos consiga eructar y se le pase el dolor que le despertó.

CUANDO SE DESPIERTA POR HAMBRE

Si el bebé lo que tiene es hambre y le dejas llorar hasta que vuelva a quedarse dormido, ten la seguridad de que en vez de una solución te estás creando un problema. Mientras dure su llanto, te será imposible conciliar el sueño. Y justo cuando logres quedarte dormida, él volverá a despertarse y encima con más hambre aún. Es posible que entonces decidas alimentarle, pero que el pequeño esté tan cansado que apenas coma y se quede dormido antes de haber ingerido todo el alimento que necesitaba. En ese caso su sueño será más corto de lo que podría haber sido y reclamará una nueva toma en poco tiempo.

Es más práctico darle de comer cuando tenga hambre para que pueda tomar tranquilamente todo lo que requiera. Así, luego descansará más tiempo y de paso te dejará reposar a ti.

MASAJES PARA TRANQUILIZARLE

Lo que más le gusta a un bebé es el contacto físico con sus padres. Se siente protegido y querido. Si el pequeño se encuentra alterado por cualquier circunstancia, una sesión de caricias logrará tranquilizarle y lo ayudará a conciliar el sueño. A continuación se ofrecen algunos consejos para que una sesión de masaje infunda bienestar a tu pequeño.

- **Templa la habitación** en donde le vayas a dar el masaje y mantén tapada la parte del cuerpo que no vas a acariciar.

- **Calienta también tus manos** para que su contacto con la piel del niño sea agradable y frótalas con aceite especial para bebés.

- **Empieza por acariciar sus piernas** una a una, desde los muslos hacia los pies.

- Con los dedos de la mano, **masajea el abdomen alrededor del ombligo** haciendo movimientos circulares en el sentido de las agujas del reloj.

- **Masajea luego los brazos** del niño.

- Ya sin aceite, **acaricia su cara con ambas manos**. Empieza por la frente desde el centro hacia las sienes. Prosigue muy suavemente por debajo de los ojos, en las mejillas, la barbilla y baja por su cuello.

- Por último, **coloca al bebé boca abajo y desliza tus manos desde los hombros hasta las nalgas**.

Cuando acabes, viste al niño y abrázale unos minutos. Verás cómo se encuentra muy tranquilo y feliz.

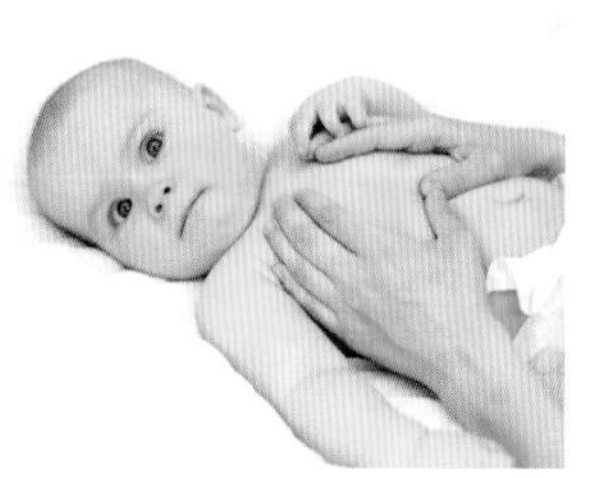
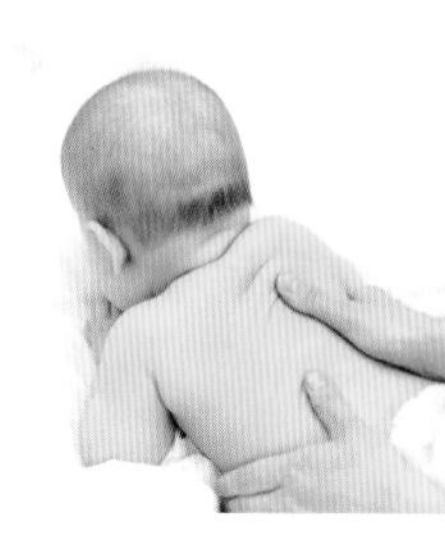

Es importante estrechar los lazos con el bebé mediante el contacto físico. Un masaje es una buena forma de hacerle sentir protegido y querido, y tranquilizarle si se encuentra alterado.

EL MEJOR ENTORNO PARA CONCILIAR EL SUEÑO

Desde que esperas la llegada de tu pequeño planeas cómo va a ser su habitación, en dónde le vas a acostar y qué ropa va a ser la más adecuada. Desde luego, es una decisión importante, aunque luego sobre la marcha vayas adaptándote a los imprevistos que surjan. La idea fundamental es lograr que el descanso de tu bebé y el tuyo sean los óptimos.

El moisés es una minicuna que suele utilizarse en los primeros meses. Las hay de mimbre y de madera, con o sin dosel y más o menos ornamentadas. Aunque por sus reducidas dimensiones, suele resultar cómoda para tenerla junto a la cama de los padres, no es imprescindible en absoluto y el bebé dormirá igual en una cuna más grande.

UNA DECISIÓN IMPORTANTE

La habitación donde va a dormir el bebé debe estar bien ventilada y templada. Algunos padres prefieren que en las primeras semanas el pequeño duerma en su dormitorio para poder tenerlo cerca cuando reclame una toma nocturna. Otros, sin embargo, deciden llevarlo a una habitación individual porque los sonidos que emite el niño mientras duerme les impiden dormir bien.

Sea cual sea la elección, lo único esencial es que los padres descansen lo mejor posible. Si apenas pegan ojo, estarán malhumorados y con pocos ánimos para cuidar del pequeño durante el día.

Si el bebé se alimenta de leche materna, quizá sea una buena idea que la madre se encargue de él durante la noche y que su pareja asuma los cuidados del pequeño durante algunas horas del día. De este modo, la madre podrá permitirse alguna siesta para reparar fuerzas.

¿CUNA O CUCO?

Algunos padres deciden tener a sus hijos en un pequeño cuco o moisés los primeros tres meses de vida del niño. Esta pequeña cuna se puede transportar fácilmente y colocarla cerca de la cama de los adultos o llevarla a cualquier habitación en donde estos se encuentren. En cambio, otros padres prefieren poner al pequeño directamente en una cuna más amplia que le servirá al bebé hasta los tres o cuatro años, cuando se decida que ya es el momento de que el niño duerma en cama.

La solución que debes escoger es la que te resulte más práctica. Al bebé para dormir le dan igual las dimensiones del lecho. Lo único importante es que sea seguro y cómodo.

LA ROPA PARA DORMIR

A los recién nacidos les cuesta mantener la temperatura corporal, así que hay que vigilar que no se enfríen. Eso no quiere decir que haya que abrigarlos en exceso, puesto que entonces el pequeño se sentirá incómodo y no podrá dormir.

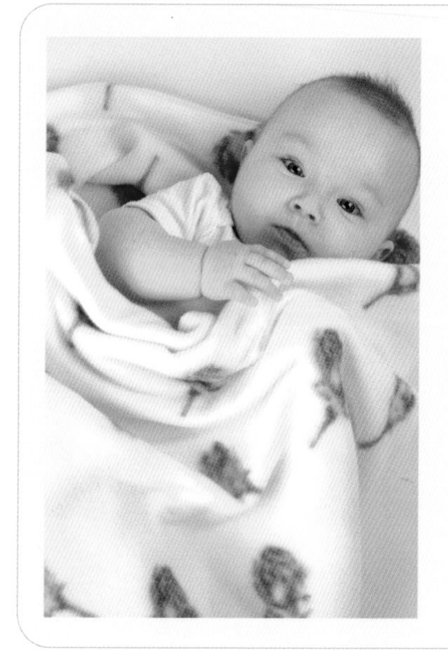

ENVOLVERLE BIEN

En muchos momentos los bebés tienen una sensación de pérdida de equilibrio y se sobresaltan haciendo un movimiento brusco que les asusta. Para transmitirles seguridad, es muy útil envolverles firmemente con un arrullo o toquilla que a su vez posea la elasticidad suficiente para que se encuentre cómodo. Este método es un auténtico calmante que ofrece una sensación de calor y protección parecida a la que experimentan cuando se les toma en brazos.

Existen en el mercado saquitos de varios tamaños para que los bebés se sientan arropados cuando duermen y que podrían tener el mismo efecto que envolverles en un arrullo. También es posible adquirir un rollo de felpa que mantenga al bebé sin darse la vuelta y sintiéndose más seguro.

El uso del chupete tiene defensores y detractores sin que científicamente se pueda concluir nada definitivo. El hecho es que a algunos bebés les tranquiliza mucho y los ayuda a dormir, mientras que otros lo rechazan. Sí es importante que no se convierta en un vicio ni en un sustituto del pecho materno, y que su uso se limite en el tiempo para evitar la deformación del paladar.

Si la temperatura de la habitación se mantiene en torno a los 20 °C, lo más adecuado son tres capas de ropa, que incluyan el pañal y una camiseta o *body* interior, un pijama de manga larga y que le cubra los pies, y un saco o una toquilla.

Por otra parte, para un recién nacido son necesarios tres o cuatro pijamas como mucho. Recuerda que los bebés crecen muy rápidamente y pronto se le quedarán pequeños. Con que tengas suficientes para poder cambiarle con comodidad sin tener que lavar inmediatamente el que le acabas de quitar es suficiente.

EL CHUPETE

Los beneficios y perjuicios de su uso constituyen un tema controvertido.

Tesis a favor

Sus defensores aseguran que reduce el estrés de los pequeños. La succión infunde en los niños una sensación de bienestar que les relaja y que dura más allá de los primeros meses de vida. Además, recientes estudios afirman que el empleo del chupete disminuye el riesgo de muerte súbita.

Tesis en contra

Los detractores del uso del chupete aseguran que deforma la boca de los niños, impide una dentición correcta y puede llegar a impedir la alimentación materna.

Según el artículo «Uso del chupete: riesgos y beneficios», publicado en 2000 en *Anales españoles de pediatría*, vol. 53, n.° 6, no hay datos concluyentes para alentar o prohibir la utilización del chupete. Sin embargo, en el mismo texto se recomienda que no se utilice antes de los 15 días de edad y que se empiece a retirar a partir de los ocho meses.

UN LECHO SEGURO

El Departamento de Salud y Servicios Humanos de Estados Unidos recomienda adoptar las siguientes medidas para que los bebés duerman sin peligros y sanos:

¿Con o sin almohada? Aunque los juegos de sábanas para cuna suelen incluir una funda para almohada, los bebés no la necesitan y, de hecho, duermen más seguros sin ella.

¿Boca arriba o boca abajo? Mejor boca arriba. En contra de lo que se pensaba hace unos años, esta postura no aumenta el riesgo de muerte súbita y contribuye a una mejor respiración del pequeño.

¿Manta o saco? Lo más importante es asegurarse de que nada impide al niño una cómoda respiración. Si se emplea una manta, debe estar firmemente sujeta a los pies del bebé y no llegar más arriba de sus hombros. Son preferibles los sacos para niños.

La almohada de la cuna es un elemento puramente ornamental que, al igual que los peluches y los juguetes, debe retirarse de la cuna cuando acostemos al niño. En cambio, sí podemos colocar un móvil musical con elementos de color que giren sobre la cabecita del bebé, proporcionándole un entretenimiento tranquilo justo cuando se despierte.

Una cama libre de juguetes. Cuando el bebé vaya a dormir, se deben retirar de su lecho todos los juguetes, particularmente los muñecos de trapo y los peluches, que pueden caer sobre la cabeza del bebé e impedirle respirar.

COLORES E ILUMINACIÓN DEL DORMITORIO

Colores. Aunque el mercado ofrece infinidad de combinaciones y tonalidades, para decorar la habitación de un bebé se recomiendan tonos que infundan calma y optimismo. Si prefieres olvidarte de los tradicionales azules para niños y rosas para niñas, puedes optar por el beis, el melocotón y los verdes, pero siempre en tonalidades claras.

Iluminación. Es interesante pensar en dos puntos de luz: uno que ilumine todo el dormitorio y otro que alumbre suavemente una sola pared. Este último es muy útil cuando hay que atender al bebé por las noches molestándole lo menos posible.

UN MOBILIARIO MÍNIMO

En las primeras semanas de vida del pequeño será suficiente con disponer de un cuco o una cuna, un lugar seguro para cambiarle y un armario o cómoda para guardar su ropa y todo aquello que necesites tener a mano cuando le vistas o le cambies, como pañales y toallitas húmedas.

El significado de los colores

Colores	Significado
Blanco	Es el color de la limpieza y la pureza, pero evoca frialdad.
Amarillo	Es el color de la alegría; además, compensa la falta de luz.
Verde	Este es el color del crecimiento, la creatividad y el aprendizaje.
Rosa	Proporciona calma y reduce los temores y las pesadillas, ideal para niños con problemas de sueño.
Azul	Este color estimula la concentración y la calma.
Colores naturales (ocres, beis, tierra)	Estos colores transmiten tranquilidad y quietud, son adecuados para niños hiperactivos.

APRENDER A DORMIR MÁS POR LA NOCHE

Poco a poco hay que ir enseñando a los niños a que por la noche es mejor dormir varias horas seguidas y que durante el día es preferible realizar siestas más cortas. Pero ¿cómo le explicas esta idea a un bebé? A continuación se ofrecen algunos métodos que pueden ayudarte en esta difícil pero indispensable tarea.

UN PROCESO INEVITABLE

Aprender a dormir más por la noche que durante el día es un proceso por el que todos los bebés y padres deben pasar. Para facilitar la labor de aprendizaje, hay que tomarse la molestia de seguir algunas pautas fijas cada día hasta que el pequeño asocie determinadas actuaciones con el sueño de la noche o con el del día.

El bebé debe diferenciar el periodo nocturno del diurno y podemos ayudarlo ofreciéndole rutinas previas que le «avisen» de que se acerca el momento de dormir. Un baño, el pijama, la cena, etc., le indican previamente que ya es de noche. La madre puede dar el pecho al bebé en la misma habitación en la que va a dormir para acostumbrarle al ambiente.

Algunas pautas constantes que puedes emplear para que el pequeño las relacione con el sueño nocturno son las siguientes:

- Dale **un baño relajante** antes de la última toma.

- Cámbiale de ropa y **ponle un pijama**.

- Ofrécele **la cena en la misma habitación** en la que vaya a dormir.

- Asegúrate de que expulsa el aire adecuadamente y **acuéstale en su cuna**, y no, por ejemplo, en el coche de paseo, donde sí puedes colocarlo en otros momentos del día.

- **Háblale dulcemente y acaríciale** antes de que le venza el sueño. Le infundirás la seguridad que da la cercanía de los padres.

- En esos últimos momentos del día **evita los ruidos bruscos y repentinos**.

- **Baja la persiana** o cierra las cortinas para evitar luces del exterior y dar al dormitorio un ambiente distinto del de la mañana.

TOMAS NOCTURNAS

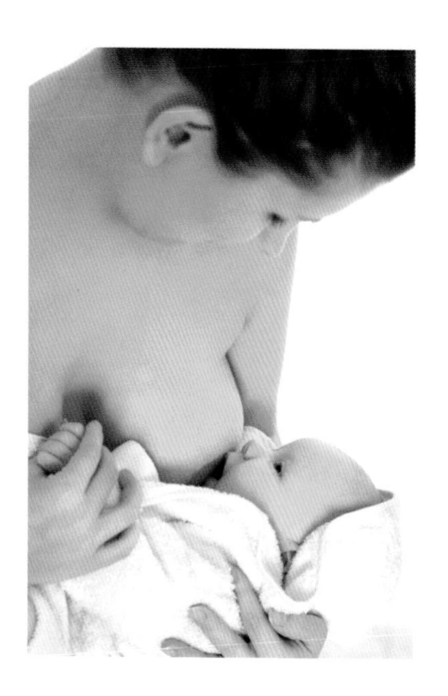

El recién nacido necesita alimentarse a menudo y reclama sus tomas durante la noche. En estos casos, es recomendable darle de comer sin que apenas se despierte y con poca luz. Evita dejarle llorar mucho tiempo para que no se desvele totalmente. Tampoco es aconsejable que juegues con él como si fuera de día.

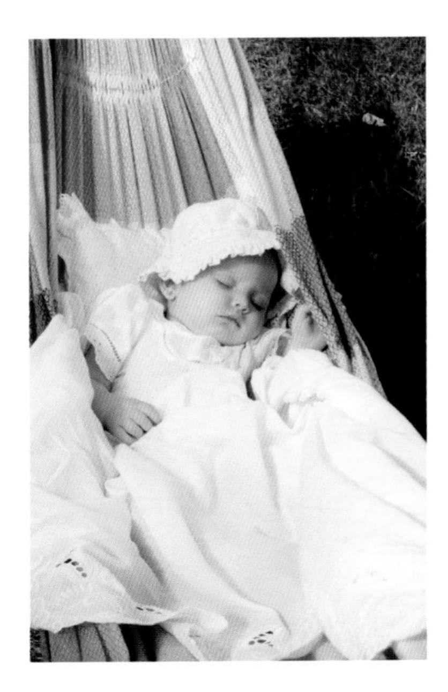

Dormir es para un bebé tan importante como alimentarse. Según los expertos, los niños tendrían que dormir la siesta durante los cinco primeros años de vida, pues este sueño de media mañana o media tarde es fundamental para su desarrollo. Es importante educar al bebé en este hábito. Además, las siestas regulan mejor el sueño de la noche.

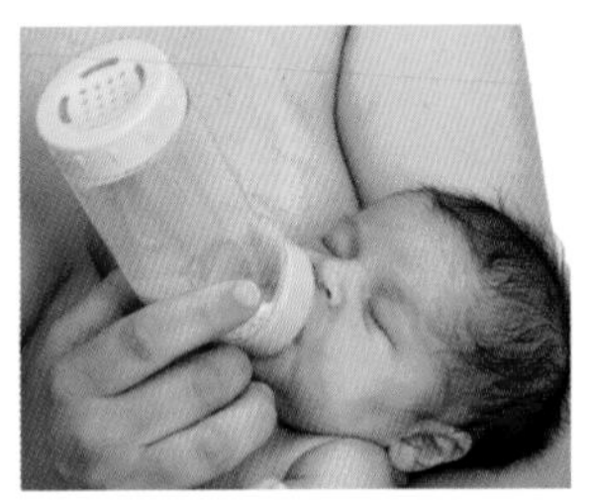

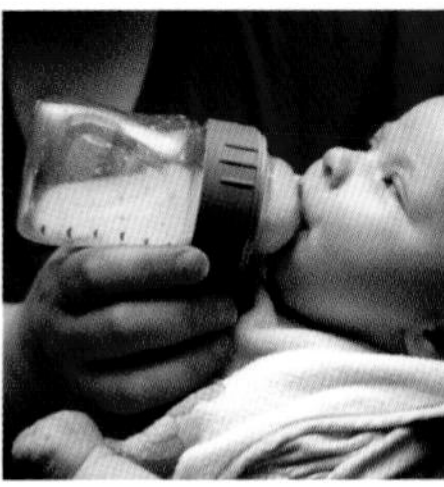

Es muy importante que el bebé no se despeje del todo cuando solicita una toma nocturna. La diligencia de los padres puede evitar que se desvele.

Y, desde luego, lo que es esencial es tenerlo todo a mano: si necesita que le cambies y tienes que recorrer toda la casa para encontrar un pañal limpio, con toda seguridad el bebé se despejará durante un buen rato.

Si le alimentas con biberón, deja las medidas de la leche preparadas y el agua en un termo que conserve la temperatura adecuada. Así solo tendrás que realizar la mezcla y podrás ofrecerle el biberón con rapidez.

DURANTE EL DÍA

En las horas diurnas se puede acostar al bebé a plena luz y manteniendo los sonidos propios de una casa. Si el niño aprende a echar las siestas con ellos, será más cómodo para toda la familia que si se acostumbra al silencio total y siendo incapaz de conciliar el sueño sin él.

LAS SIESTAS

Las siestas mejoran el sueño nocturno de los bebés. Cada niño es diferente, pero, por lo general, necesitan tres siestas al día: una a media mañana, otra temprano por la tarde y otra temprano por la noche. En cuanto veas que tu pequeño muestra signos de cansancio, échale a dormir una siesta. Si dejas que se canse demasiado, luego no logrará conciliar el sueño. Al principio quizá debas estar atenta a las señales de tu hijo hasta que le conozcas tanto que con un solo vistazo sepas lo que necesita.

Entre los síntomas más claros de fatiga de los bebés destacan :

- Parece menos activo.
- Se muestra irritable.
- Bosteza varias veces seguidas.
- Se restriega los ojos.

Con el paso de los días serás capaz de establecer un horario de comidas y siestas. Es muy útil, además, que adoptes algunas rutinas para las siestas, pero diferentes de las que pongas en práctica para enseñarle a dormir por las noches. Por ejemplo, ponle una música suave o cántale una canción.

TRUCOS PARA DORMIR MÁS

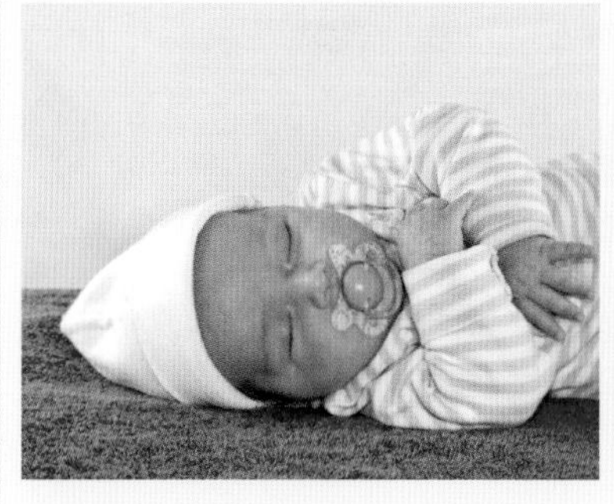

• Adelantarse para descansar más

Cuando vayas a acostarte, trata de dar al bebé una última toma aunque él no la haya reclamado. No le perjudicará en absoluto y tú ganarás un par de horas de sueño.

• El truco del tictac

El sonido de un reloj puede resultar un buen acompañante para un bebé que no soporte quedarse solo. Pon debajo de su colchón o en una mesilla cercana un reloj que tenga un tictac sonoro. Su acompasado soniquete le hará compañía.

• El truco del arrullo

Cuando des de comer a tu pequeño, apoya su cabecita sobre un arrullo o una gasa suave que luego puedas sujetar firmemente en su cuna. De este modo, cuando se quede solo notará el mismo tacto y olor que cuando estaba contigo.

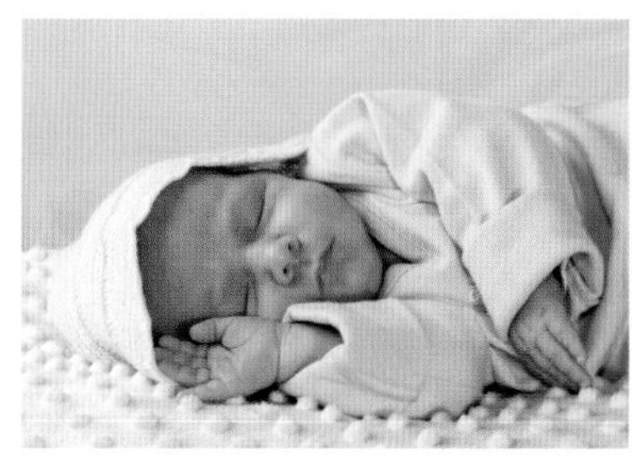

A DORMIR SE APRENDE

No existen fórmulas mágicas: el bebé aprende a dormir, igual que aprende a caminar o a hablar. Por eso, la única receta posible es la paciencia. No va a aprender de hoy para mañana, lleva un tiempo. No sueñes con que tu bebé dormirá toda la noche de un tirón cuando tenga un mes, mejor valora sus progresos día a día, recuerda cuando dormía menos y confía en que irá a mejor.

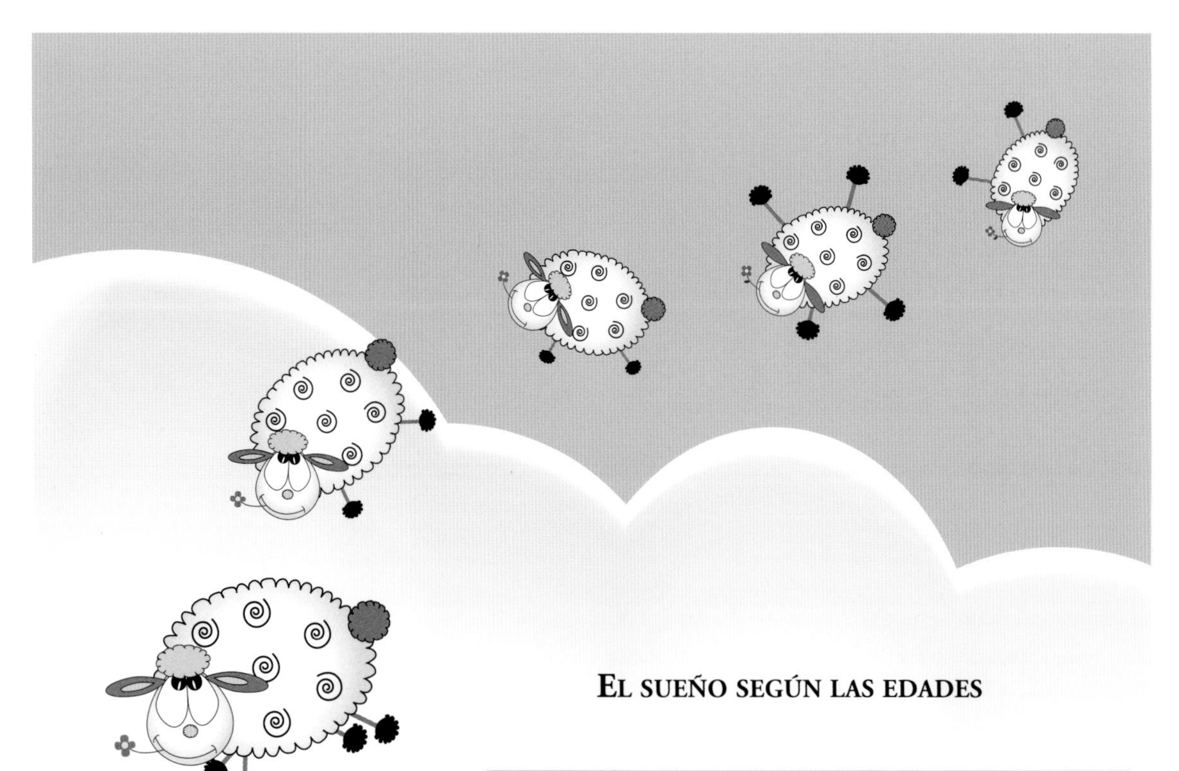

El sueño según las edades

Edad	Duración del sueño	Periodos de sueño
0-3 meses	16-20 horas (mismo tiempo de sueño nocturno que diurno)	1-4 horas de sueño seguidas de 1-2 horas de vigilia
4-6 meses	14-15 horas (11 horas por la noche y 4 horas en tres siestas al día)	Periodos de 6-8 horas de sueño continuado
7-12 meses	12-14 horas (a partir de los nueve meses, 2-4 horas en dos siestas al día)	Desde los nueve meses el 75% de los niños duerme durante la noche
2-3 años	11-12 horas (2-3,5 horas de siesta al día)	En torno al 15% de los niños se despierta de noche

BEBÉS DORMILONES

Acaba de nacer y apenas puede con su alma. Para salir del útero, ha tenido que hacer un gran esfuerzo y la adaptación al exterior tampoco es sencilla. Con el paso de los días se recuperará y poco a poco alternará las horas de sueño con las de vigilia. Sin embargo, hay bebés que parecen encantados con dormir y apenas les interesa el mundo exterior.

¿POR QUÉ DUERME TANTO?

Los primeros días el recién nacido generalmente duerme mucho. El parto le ha dejado tan cansado que necesita recuperar fuerzas. Así que es normal que tenga demasiado sueño como para poder comer durante mucho tiempo. Lo que suele ocurrir es que se duerme mientras come.

Las mamás de un bebé dormilón son la envidia de todas las demás, porque es un hijo que deja mucho tiempo libre y permite el correcto descanso de sus padres. Si estás preocupada por el exceso de sueño, solo debes vigilar un parámetro: el peso del bebé. Si aumenta correctamente de peso en los controles pediátricos, es que está bien alimentado, independientemente de que duerma demasiado.

Es inútil intentar obligarle a alimentarse si se ha quedado dormido. A medida que madure, crecerá lo suficiente como para mantenerse despierto el tiempo necesario para una correcta alimentación. Lo único que tienes que hacer es vigilar los intervalos que hay entre toma y toma, y cuando haya pasado un tiempo razonable, tratar de que coma un poco. Utiliza tu voz y tu rostro, que son las únicas cosas que en sus primeros días de vida le interesan y que, por eso mismo, pueden lograr mantenerle despierto unos minutos.

Sin embargo, hay bebés que a pesar del transcurrir de los días lo único que continúan haciendo es dormir. A veces hasta resulta difícil despertarles para ofrecerles una toma, y en el caso de conseguir dársela, se duermen inmediatamente. Casi nunca lloran, y si lo hacen el llanto apenas dura. Pero, lo que es más llamativo, tampoco parecen contentos ni satisfechos.

FÁCIL DE TRATAR

Este tipo de niños no presentan grandes incomodidades para sus padres, que pueden descansar mucho más fácilmente que con un bebé al uso. De este modo los padres están en plena forma cuando su pequeño madura lo suficiente como para exigir una atención más activa.

Es posible que si tienes un niño dormilón te sientas algo desilusionada porque apenas te reclama. Pero debes ver la parte positiva de un pequeño así, que te deja mucho tiempo para cuidarte y, por tanto, estás preparada para dedicarte intensamente a él en sus momentos de vigilia.

MANTENERSE ALERTA

Aunque un bebé dormilón deja largos intervalos de sosiego en una casa, es recomendable que te mantengas vigilante sobre algunas cuestiones clave para su correcto crecimiento:

IDEAS PARA DESPERTAR AL BEBÉ

Los periodos de sueño ligero del recién nacido son los mejores momentos para tratar de despertarle.

- Fíjate si sus ojos se mueven bajo sus párpados o gesticula, lo que indica que se encuentra en una fase REM o de sueño activo.
- Háblale alegremente, pero sin estridencias que le sobresalten.
- Tómale en brazos y sostenlo en posición vertical.
- Ponle una música animada que tenga elementos que llamen la atención de los niños. Los temas infantiles son una buena opción.
- Cámbiale el pañal.
- Acarículale las manos y los pies.
- Si hace calor en la habitación, puedes pasarle un paño húmedo por su frente y sus mejillas.
- Cuando le resulte imposible despertarse, permítele unos minutos más de reposo y vuelve a intentarlo media hora más tarde.

Controla las horas que transcurren entre tomas y especialmente los primeros días evita que pasen más de cuatro horas entre cada una de ellas. Un recién nacido necesita hidratación y alimento a menudo. Conforme pase el tiempo, se regulará él solo.

Si se duerme a los cinco minutos de haber iniciado una toma y crees que apenas ha comido, añade dos o tres tomas más de lo habitual, y, desde luego, dale de comer a demanda cuando lo reclame.

Por las noches despiértale para una última toma cuando te vayas a acostar y por las mañanas dale de comer en cuanto te levantes. Si es necesario, utiliza un despertador.

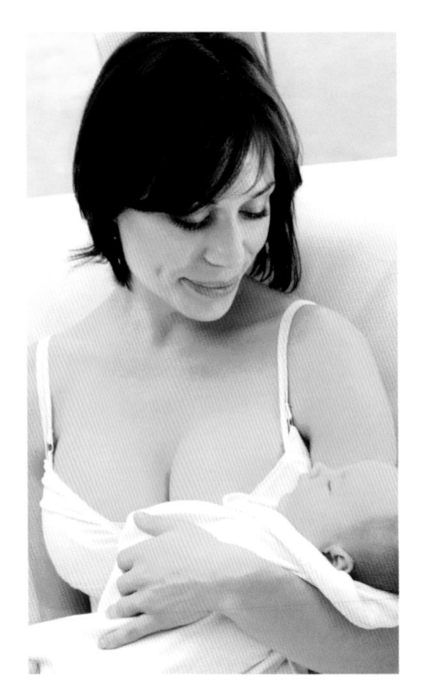

Hacer pequeños descansos durante las tomas, hablar o mecer un poco al bebé, e incluso cambiarle el pañal entre la toma de un pecho y otro, son pequeños trucos para evitar que el niño se duerma y coma menos de lo necesario. Si conseguimos mantenerlo despierto mientras come, es probable que luego duerma más rato y nos deje descansar mejor.

ESTAR DESPIERTO ES DIVERTIDO

Aprovecha todas las oportunidades que se presenten para mostrar a tu pequeño que el mundo que le rodea es alegre y entretenido. Acércale tu rostro y háblale. Es posible que en seguida vuelva a quedarse dormido, pero en cuanto le toque otra toma juega con él. Así se irá percatando de que, cuando está despierto, lo pasa fenomenal. Por pequeño que sea, comprenderá los beneficios de disfrutar de un rato de juegos y mimos con mamá.

No es en absoluto conveniente que le dejes aislado en su cuna durante todas las horas que el pequeño duerma. Llévalo contigo en un cochecito o en una silla especial para bebés allá donde vayas. Si estás en la cocina o en el salón, haz lo posible para que te acompañe. Verte en movimiento puede incitar su curiosidad por observarte. Para él todo es nuevo y tú eres lo más interesante que hay en su vida; ten en cuenta que eres su única referencia los primeros meses.

MANTENERLE DESPIERTO EN LAS TOMAS

Si ves que el pequeño empieza a sentirse somnoliento mientras come, ponle en posición vertical para que expulse el aire, cámbiale el pañal y colócale en el otro pecho. Así logrará mantenerse en estado de vigilia unos minutos más. Serán suficientes para que coma más, lo que te permitirá dejarle dormir hasta la siguiente toma sin la preocupación de obligarle a despertarse al poco tiempo para evitar que se deshidrate. Esta precaución está especialmente indicada en verano.

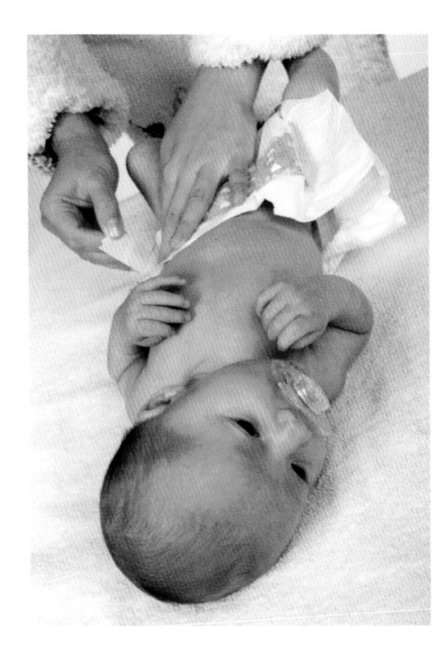

EVÍTALE ESFUERZOS EXTRA

Si le das el pecho, ten cuidado de sostener el peso del seno con la mano que tienes libre en vez de dejar que caiga libremente sobre la mandíbula del lactante. Cualquier esfuerzo, por mínimo que parezca, es muy grande para un bebé tan pequeño.

El truco para disfrutar de un bebé despierto que necesita mucho menos descanso de lo normal es descansar lo máximo posible cuando él descansa, aplazando otros quehaceres, y permanecer a su lado, ofreciéndole estímulos para desarrollar su aprendizaje, cuando está despierto. Y sobre todo, no echar de menos un bebé dormilón, sino valorar a nuestro hijo tal como es.

NIÑOS DESPIERTOS

Son niños que necesitan dormir menos que la media de los recién nacidos. Tener un pequeño así supone un gran reto, pues apenas dejará tiempo a sus padres para que descansen. Sin embargo, con paciencia y optimismo unos y otro aprenderán a adaptarse y lograrán la armonía deseada.

NUNCA TIENE SUEÑO

Un bebé despierto es aquel que duerme alrededor de 12 horas diarias y alguno de ellos, además, puede que apenas alcance a permanecer dormido dos horas seguidas. Seguramente se dormirá de inmediato en cuanto termine de comer, pero al cabo de una o dos horas se despertará.

La exigencia de atención que reclama resulta absolutamente agotadora y la única fórmula de convivencia que existe es adaptarse a su ritmo y horarios. Si tu bebé es un niño despierto, aprovecha cada vez que se duerma para descansar, y si lo necesitas, no dudes en acostarte inmediatamente en cuanto se quede dormido. Olvídate de atender el teléfono, tener la casa a punto y demás obligaciones que se te ocurran.

El único quehacer ineludible es el de encontrarte lo mejor posible para cuidar de tu hijo de manera satisfactoria para ambos.

REMEDIOS QUE NADA SOLUCIONAN

Insistir en dejarle solo en su cuna para que se eche una siesta es un esfuerzo que no conseguirá el resultado deseado. Será una pérdida de tiempo. No le hace falta dormir, así que no dormirá. Da igual que te empeñes en que debe hacerlo, porque el bebé ni lo entiende ni lo necesita. Únicamente lograrás perder la paciencia y hacer infeliz a tu hijo. Sin embargo, el bebé que duerme poco también tiene ventajas... e inconvenientes.

Ventajas

El niño que duerme poco no se despierta porque tiene hambre, sino porque ya no desea dormir más. Al estar más tiempo de vigilia, le llama la atención todo lo que le rodea y muestra interés por las cosas antes de lo que lo hacen otros bebés. Como miran y escuchan más tiempo del que duermen, su desarrollo y aprendizaje son rápidos.

Así pues, hazte a la idea de que tendrás que tratarle como si fuera un niño mayor de lo que es en cuanto a su proceso cognitivo.

Inconvenientes

Como es muy pequeño, las actividades para hacer con él son limitadas. No puede sostener un juguete con sus manos y tampoco puede sentarse.

ALGUNOS CONSEJOS

Para un bebé tiene interés desde un grifo abierto hasta unos árboles o una aspiradora en funcionamiento. Lleva pocas semanas en este mundo y todo es una sorpresa.

Trata de que el bebé, **cuando esté despierto, se encuentre acompañado**. Llévalo contigo allá donde vayas. Verte hacer cosas en la cocina, en el salón o en la terraza le resultará muy entretenido.

Háblale constantemente. Cuéntale que estás leyendo un libro, enséñale lo que se ve por la ventana, explícale que lo que has cogido es una pastilla de jabón y para qué la utilizas... Al bebé le parece llamativo lo que sus padres le cuentan. Es un recién llegado y va de novedad en novedad, los padres son su fuente de conocimiento.

Pon al alcance de su vista objetos sugerentes y que no entrañen peligro. Puedes colgarlos en su cochecito o en su cuna. De vez en cuando cámbialos por otros nuevos. Si son de colores vivos, le encantarán y si tienen sonido, mucho más.

Los **móviles con música** y luces le cautivarán.

Piensa en alguna colchoneta amplia y bajita o en una manta para que puedas dejarle apoyado en el suelo a tu lado si estás viendo la televisión o leyendo un rato. Eso, claro, siempre que no haya mascotas que anden sueltas por la casa.

Cuando esté en la cuna o en su cochecito, **permítele tener los brazos y las piernas libres**. Le encantará patalear y agitar sus brazos. Si estás en un clima frío, cambia la manta por un saco amplio, que le mantendrá caliente permitiéndole al mismo tiempo algo de movimiento.

Cuando salgáis juntos de paseo, acercaos a un parque infantil donde pueda **mirar cómo juegan los niños**. Le entusiasmará.

Aunque sea muy pequeño, el bebé siente todo lo que le rodea y aprende de ello. Hasta los seis meses no podrá darse la vuelta solo, por lo que tumbarlo boca arriba en una superficie horizontal, no demasiado blanda ni dura y aislada de la humedad y del frío, es lo mejor para que comience a observar su entorno y a juguetear. Hay que acercarle objetos de colores y sonoros (como sonajeros) porque aún no puede alcanzarlos solo, hablarle, acariciarle y dejarle patalear. Y siempre debemos observar la seguridad de esos juguetes, así como que no haya nada a su alrededor que pueda caerle encima.

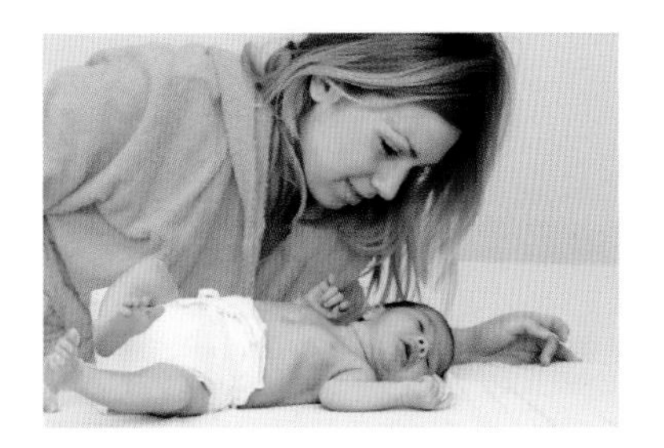

EVITA QUE SE SIENTA ABANDONADO

Si has dejado al pequeño en la cuna o en el cochecito entretenido con algún juguete y le oyes protestar, ve con él rápidamente. No temas malcriarlo. Por el contrario, si no acudes pronto a su lado, asociará esos lugares con una solitaria prisión. En cambio, si te acercas cuando te llama, sabrá que no le has abandonado. De este modo cuando en otra ocasión le dejes en la cuna solo, se quedará feliz y seguro.

ACTIVIDADES GRATIFICANTES PARA AMBOS

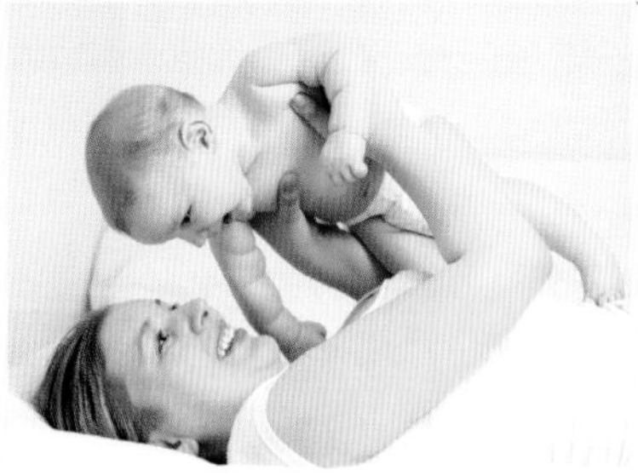

- **Mírale a los ojos y háblale.** Nada hay para un bebé más atractivo que el rostro y la voz de su madre.

- **Juega con tu pequeño.** Puedes empezar por esconderte detrás de tus propias manos y cuando te las quites, saludarle con alegría. Verás que en poco tiempo es capaz de reconocer el juego y te empieza a devolver sonrisas.

- **Dale masajes.** Acaríciale la frente, las mejillas y la barbilla suavemente con los dedos; pásale las manos por los brazos y las piernas; frótale la espalda. El contacto contigo es lo que más le gusta en este mundo. Y para ti observar a tu hijo contento es un regalo.

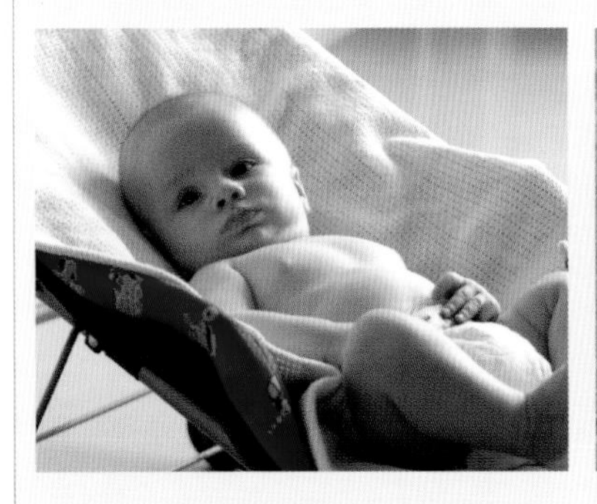

- **Usa una hamaca.** Son muy seguras para los niños, son fáciles de transportar y les mantienen algo erguidos, con lo que se mantienen cómodos y lo suficientemente incorporados para observar lo que hay a su alrededor.

- **Utiliza una mochila portabebés.** Ahora que pesa poco anímate a transportarle contigo mientras deambulas por el hogar o sales a hacer un recado.

LA ALIMENTACIÓN DEL LACTANTE

Ha llegado el gran día y por fin tienes a tu bebé en brazos. ¿Y ahora qué? Pues ahora vas a empezar una nueva relación con él, que da comienzo con la primera vez que le amamantas. La alimentación por medio del cordón umbilical, a través del cual el niño recibía los nutrientes que necesitaba, se ha acabado y madre e hijo tienen que aprender un método novedoso para ambos. No saben exactamente qué hay que hacer, pero se ponen manos a la obra.

LA PRIMERA VEZ QUE TOMA EL PECHO

Al principio puede parecer que amamantar resulta una prueba insuperable. Quizá veas difícil mantener con un brazo al pequeño, aproximar uno de tus pezones a su boca, convencerle de que la abra y sujete adecuadamente el pezón para que extraiga leche y al mismo tiempo encontrarte relajada y feliz. Desde luego el niño no conoce su papel, aunque al menos trae consigo el instinto de succión.

La leche materna puede tardar hasta tres días en subir tras el parto, pero eso no debe impedir que el bebé mame desde el primer día, aunque solo obtenga el llamado calostro, la succión es determinante para que se produzca la respuesta de la subida de la leche. El amamantamiento refuerza el vínculo madre-hijo desde el primer día.

Lo cierto es que si no te dejas desanimar por las dificultades iniciales, en poco tiempo para tu bebé y para ti las tomas serán naturales y sobre todo satisfactorias. La conexión que se establece entre madre e hijo en esos momentos es profunda y agradable y, lo más importante, proporciona seguridad a un pequeño muy feliz.

CÓMO SUBE LA LECHE

El cuerpo de la mujer después del parto es un tiovivo hormonal que anima la producción de leche. La succión del bebé también ayuda y a las pocas horas del parto está preparada para suministrar todo el alimento que el lactante reclama. Puede haber algún problema de congestión por una veloz subida de la leche que cause incomodidad e incluso dolor. Pero se trata de un problema pasajero, que no vuelve a repetirse.

Para aliviar la congestión se recomienda seguir los siguientes pasos:

- **Aplicar en los senos agua lo más caliente posible.** Si se puede, en la ducha o en la bañera; si no, con paños húmedos. Es posible que entonces salga leche de forma espontánea.

- Tras los baños de agua caliente, **presionar suavemente cada pecho** con las manos, pero lejos del pezón, desde la zona próxima al tronco hacia delante.

- Si sigue sin salir, volver a aplicar agua o paños calientes y **repetir la operación**.

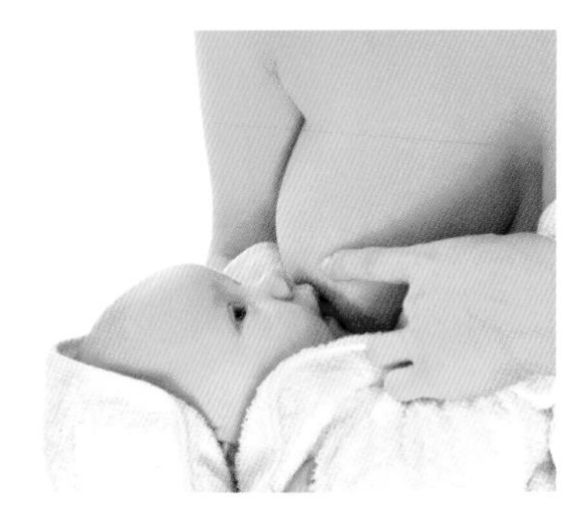

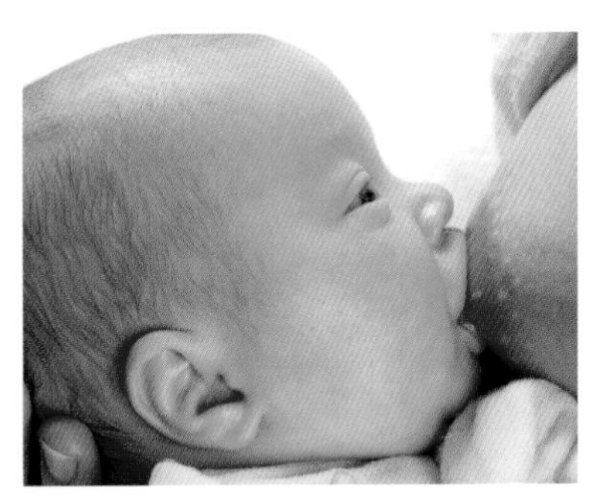

Hay que evitar las posturas que puedan obstruir el paso del aire entre el pecho y la naricita del bebé mientras mama. Tomar el pezón entre los dedos índice y corazón ejerce una ligera presión que favorece la salida de leche. Además, hay que observar reglas higiénicas, como lavarse las manos y también los pechos antes y después de amamantar.

Es fundamental conseguir que la inflamación baje un poco, porque si el pecho está demasiado inflamado, el bebé será incapaz de abarcar con su boca la areola. Pronto verás que el mejor alivio para unos senos excesivamente llenos es amamantar a tu pequeño.

MADRE E HIJO CÓMODOS

Para que el bebé consiga extraer leche del pecho tiene que abarcar con su boca el pezón y la areola y presionar rítmicamente con sus mandíbulas al tiempo que realiza movimientos de succión. La madre sabrá que el pequeño está en la posición correcta si ve que los labios del bebé rodean la areola y ella solo ve la piel que hay al borde de la misma.

Si el niño únicamente presiona el pezón, no logrará leche porque en esa posición sus mandíbulas cerrarán los conductos por donde sale. Además, la madre experimentará molestias y sus pezones se inflamarán.

ESTIMULAR A TU HIJO PARA QUE COMA

Cuando decidas que es el momento de darle una toma, coge al bebé en brazos y acaríciale la mejilla que se encuentre más cercana al pecho. El bebé moverá la cabeza hacia ti con los labios entreabiertos. Acerca el pezón a tu hijo y trata de que con su boca abarque incluso la areola. Entonces el pequeño comenzará a succionar.

Si crees que no ha tomado el pecho correctamente no tires del pequeño para separarlo de ti, porque sería doloroso. Es mejor que introduzcas suavemente un dedo en su boca para obligarle a abrirla y puedas separarte sin daño para tu seno. Después vuelve a intentar que tome el pezón de forma correcta.

¿POR QUÉ PECHO EMPIEZO CADA VEZ?

Inicia cada toma con el pecho con el que has terminado la anterior. Los bebés succionan de manera distinta cuando empiezan a comer que cuando llevan un rato mamando. De esta manera te asegurarás de que la demanda de leche y, por tanto, su producción son idénticas en cada seno. Sabremos si ha mamado bien cuando el pecho quede blando.

Si te resulta difícil acordarte, puedes atar un lacito en la tira del sujetador que corresponda al lado por el que te tocará empezar a amamantar la vez siguiente.

¿EL TAMAÑO DEL PECHO INFLUYE EN LA PRODUCCIÓN DE LECHE?

Es erróneo considerar que los pechos pequeños producen menos leche que los grandes. El pecho de cada madre genera la cantidad de alimento que su hijo necesita. De hecho, va produciendo leche en función de la demanda del pequeño.

EL CALOSTRO

Durante los primeros días después del parto las glándulas mamarias, en vez de leche, producen un líquido amarillo claro, rico en nutrientes esenciales, como proteínas, vitaminas y minerales, y en anticuerpos que protegen al niño que acaba de dejar la seguridad del vientre materno.

Además, el calostro ayuda a que el pequeño haga su primera deposición, que se conoce como meconio, una sustancia de apariencia viscosa casi negra compuesta por secreciones del hígado y del estómago y también células muertas.

BIBERÓN EN VEZ DE PECHO

Si decides que en vez de pecho vas a darle biberón a tu hijo, ten la seguridad de que si sigues las instrucciones del pediatra estará perfectamente alimentado.

Es cierto que la leche materna ayuda a la inmunización del bebé y que refuerza emocionalmente tanto a la madre como al hijo, pero si existen verdaderas dificultades, la alternativa del biberón es igual de buena: lo importante es que el niño se sienta querido y protegido cuando se le alimenta.

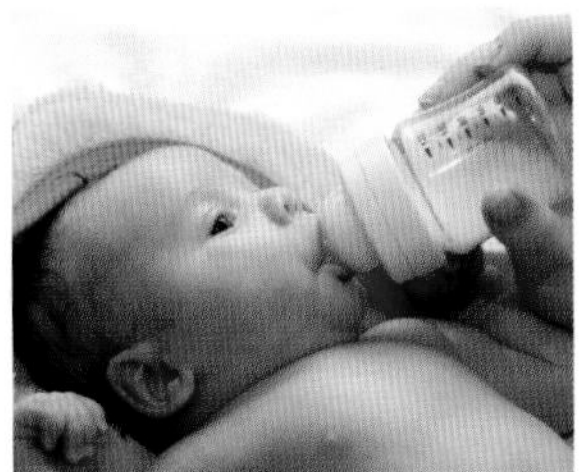

Una de las mayores ventajas de la alimentación con biberón es que no es necesario que sea la madre la que se lo dé siempre, otras personas, como el padre o los abuelos, pueden disfrutar de ese momento especial mientras la madre descansa.

TIEMPO ADECUADO POR CADA TOMA

Lo recomendable es que el bebé se amamante durante cinco o 10 minutos en cada pecho. Después de ese tiempo apenas queda leche en el seno, así que es inútil seguir insistiendo con él y, además, podrían aparecer grietas en los pezones.

El tiempo aumentará paulatinamente hasta media hora conforme las tomas se hagan más regulares y los horarios queden más fijos. Hay bebés que tardan mucho y otros que maman en pocos minutos.

Pero hay que olvidar reglas rígidas, porque cada niño y cada madre tienen su ritmo. Quizá a tu pequeño le venga bien descansar unos minutos tras mamar del primer pecho, y aprovechar para que deje salir el aire que haya tragado. Otro bebé, en cambio, muy comilón estará impaciente por encontrar el segundo pecho para seguir mamando.

POSTURAS PARA AMAMANTAR

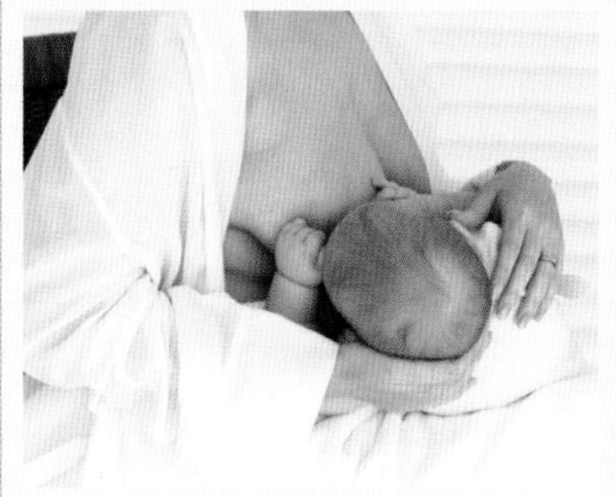

- Sentada: Escoge una silla sin brazos y que te permita apoyar los pies totalmente en el suelo. Si lo necesitas, pon en el respaldo un cojín para que tu espalda esté bien apoyada. Cruza la pierna del pecho por el que vas a dar de comer para que la boca del bebé quede a la altura del pezón. También puedes poner las piernas juntas, colocar una almohada sobre tus rodillas y apoyar al bebé encima para que llegue fácilmente al seno. Existen unos cómodos cojines circulares que "abrazan" el cuerpo de la mamá para sostener y acercar al bebé con más comodidad.

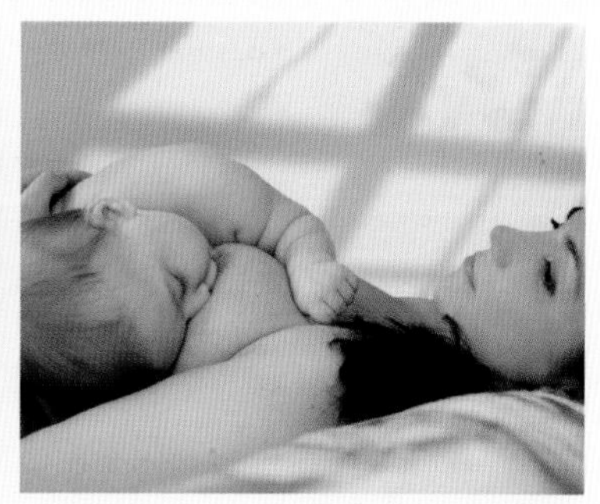

- Tumbada: Échate con tu pequeño al lado y acércale al pecho con un brazo. Es una postura realmente cómoda y agradable, y muy recomendable para cuando te sientes cansada. Quizás los primeros días no te atrevas con esta posición, pero en cuanto tu hijo y tú os encontréis seguros, pruébala. La disfrutaréis ambos. Es la postura ideal para amamantar en mitad de la noche, siempre que tomes la precaución de no quedarte dormida con el peligro de aplastar a tu hijo o que este se caiga de la cama.

EL PRIMER DÍA EN CASA

Hoy vienes del hospital con tu bebé en brazos y ahora sois uno más en la familia. Prepárate para disfrutar de tu hijo en la intimidad del hogar. Aunque ya no tienes la ayuda del personal sanitario que te ha atendido las primeras horas tras el parto, olvídate de temores. Los meses que te esperan van a ser una aventura formidable.

EL MEJOR SITIO PARA DARLE DE COMER

Seguramente antes de que naciera tu hijo ya habías pensado cuál sería el lugar ideal para amamantarle. Especialmente los primeros días es recomendable escoger un sitio de la casa donde te encuentres cómoda y tranquila. Evita zonas donde puedas ponerte nerviosa, un estado de ánimo que inmediatamente percibe el bebé y que puede arruinar la toma. Un sillón cómodo o una mecedora son ideales.

Ten a mano cualquier cosa que se te ocurra que puedas necesitar. Un vaso de agua para ti, porque amamantar provoca sed; una toallita o una gasa suave por si el pequeño regurgita al echar el aire; una música de fondo si te gusta escucharla durante la toma, etc.

Algunas mujeres necesitan intimidad y silencio para amamantar y prefieren retirarse a una habitación más sosegada; otras no interrumpen la vida cotidiana familiar y amamantan a su bebé en cualquier lugar, ya sea el salón, la casa de unos amigos, o un banco en el parque. Lo más importante es que mamá y bebé se encuentren cómodos.

AMAMANTAR FUERA DE CASA

Con el paso de los días el bebé y tú iréis adquiriendo seguridad y quizá te apetezca salir de casa aunque coincida con la hora de una de las tomas. Si hace buen tiempo, ¿por qué no disfrutar del aire puro de un parque sin las prisas de volver a casa para amamantarle? Si has ido a visitar a unos familiares o amigos, tampoco hace falta que salgas corriendo hacia tu casa para llegar a la siguiente toma.

Existen unos sujetadores especiales que liberan los senos de forma individual. Son muy fáciles de abrir y también de abrochar. Ponte una blusa con botones que se abra por delante, en lugar de un jersey. Con esos dos detalles podrás amamantar a tu hijo en cualquier lugar con discreción y sin renunciar a tu tiempo libre.

SACAR EL AIRE TRAS LAS TOMAS

Después de dar una toma al pequeño es fundamental que le ayudes a eructar para que el aire que le haya podido entrar mientras comía no le cause molestias. Hay varios trucos con los que ayudarás a tu bebé a hacer una digestión sin problemas:

- Cógele en brazos y ponle de pie apoyado contra tu pecho de manera que pueda asomar la cabeza, que también sujetarás las primeras semanas, por encima de tu hombro.

Los bebés no deben sentarse cuando son muy pequeños, porque eso podría provocarles una desviación en la columna. Para que expulse los gases, las mamás pueden colocarlos como si los sentaran, pero sosteniendo ellas el peso del niño para evitar que puedan dañarse. Unos golpecitos muy suaves en la espalda o en el pecho también lo ayudan a eructar.

- Mientras le sostienes en esta postura, puedes dar algunos pasos. Con el movimiento de tu cuerpo el aire quizá salga más fácilmente.

- Unas suaves palmaditas en su espalda también pueden ser útiles.

- Si aun así el bebé no eructa, cámbiale de lugar de manera que ahora le sostengas con el otro brazo. Seguramente el aire escapará mientras realizas la operación.

- Después de haber puesto en práctica los anteriores consejos, si el aire se resiste a salir, ten paciencia. Sienta al pequeño en tu regazo lo más incorporado que sea posible. Aprovecha para jugar con él, cantarle o enseñarle sus manos o un juguete. Habrá eructado antes de que os deis cuenta.

Por más prisa que tengas nunca se debe acostar al pequeño después de comer sin que haya expulsado el aire. La incomodidad que le producirá hará que proteste enojado y perderás más tiempo en calmarle y conseguir que se encuentre bien que si hubieras dedicado unos minutos a que eructase.

Esta maniobra también es una magnífica oportunidad para que tu pareja u otros miembros de la familia se impliquen. Ellos pueden ocuparse de que el niño eructe mientras tú te preparas para salir, realizas esa llamada de teléfono que no puedes posponer o simplemente te retiras a descansar. Es el momento de los papás.

LA ALIMENTACIÓN DE LA MADRE SI DA EL PECHO

Para asegurarte de que cuidas bien al bebé, tienes que alimentarte correctamente. No es el momento de las dietas de adelgazamiento radicales y sin sentido. La leche que toma tu pequeño consume calorías, proteínas y vitaminas de tu organismo, y si tu alimentación es pobre, sufrirás las consecuencias: te encontrarás extenuada, y ese estado físico te llevará a la desgana y a una debilidad que te impedirá ocuparte de las múltiples exigencias del pequeño.

Diversos estudios nutricionales sobre madres lactantes sugieren las siguientes recomendaciones para lograr una dieta óptima:

- **Un aumento de 500 calorías** en la dieta diaria.

- **Un buen aporte proteínico**, a ser posible procedente de carnes poco grasas, pescado, huevos y productos lácteos desnatados o semidesnatados.

¿CÓMO IMPLICAR A LA PAREJA O A LA FAMILIA?

Como comprobarás a las pocas horas de llegar a casa, cualquier apoyo en el cuidado del bebé es bienvenido. Tu pareja puede acompañaros durante las tomas, acercarte un vaso de agua o haceros carantoñas.

Si te acuestas un rato para descansar y el bebé no quiere dormir, otro miembro de la familia puede entretenerle o darle un paseo por el parque.

Permite que te cuiden, porque si tú te encuentras bien y te sientes querida, será más fácil que proporciones toda la atención que te demanda el recién nacido.

El papel del padre no tiene por qué ser secundario; pueden encargarse de que eructe y de cambiarle el pañal después de la toma mostrando al bebé que el amor no solo procede de mamá.

La lactancia no es el momento de hacer dieta; al contrario, la mamá debe cuidarse mucho: comer bien, no comer de más ni de menos. Un menú completo, variado y equilibrado incluye hidratos de carbono, vitaminas, proteínas y lácteos.

Muchas madres desean alargar la lactancia aunque no puedan estar todo el tiempo junto al bebé. La extracción puede efectuarse manualmente o con un sacaleches y los biberones se pueden congelar y almacenar para un uso posterior. Esto resulta conveniente cuando las madres se incorporan al trabajo, pues al reducir las tomas, se reduce la producción de leche materna.

- **Un incremento de los hidratos de carbono** a través del pan, los cereales y la pasta.
- **Consumo diario de frutas y verduras** para asegurar la ingesta de vitaminas y minerales.
- **Se deben beber muchos líquidos**, que se pueden tomar en forma de agua, zumos e infusiones sin excitantes.

SUSTANCIAS DE LAS QUE PRESCINDIR

Evita las especias fuertes, el ajo, la cebolla, los espárragos y todo tipo de col, ya que alteran el sabor de la leche y tu hijo podría rechazarla.

Disminuye al máximo el café y el té, pues la cafeína y la teína son excitantes que afectarían al lactante.

Olvídate del alcohol y del tabaco. Todo lo que tomas pasa a tu bebé a través del pecho, así que mejor evita estas sustancias tan perjudiciales para ambos.

En cuanto a las medicinas, antes de tomar cualquiera de ellas, consulta con el médico si pueden producir efectos negativos en tu pequeño.

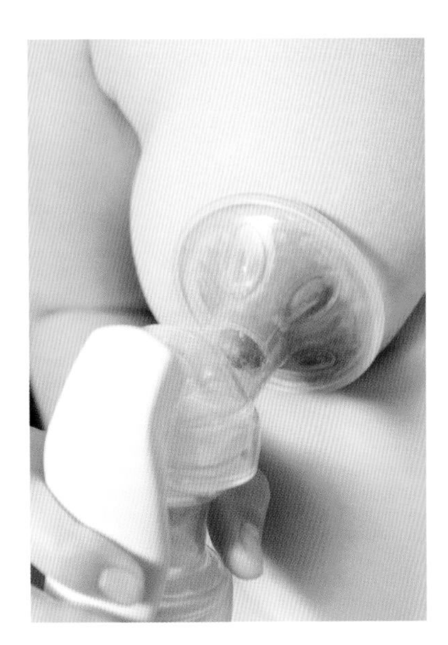

LECHE MATERNA EN BIBERÓN

Si quieres seguir dando pecho, pero no puedes estar con el bebé en todas sus tomas, una buena opción es que extraigas la leche de tus senos y la conserves en envases esterilizados en el frigorífico. Te puedes ayudar con unas bombas especiales o sacaleches. Se trata de una buena solución con la que el resto de la familia puede ser tu cómplice en los cuidados del pequeño.

EL BIBERÓN

Si escoges dar el biberón a tu bebé en vez de pecho, debes seguir unas sencillas pero estrictas reglas para su preparación, así como para dárselo. Si nunca has dado un biberón, no te preocupes; en cuanto se lo hayas ofrecido durante unos días, te resultará muy sencillo alimentar a tu bebé. A continuación se explican algunas normas básicas.

La leche materna es el mejor alimento para el bebé, pero si por cualquier razón no es posible, el biberón de fórmula contiene todos los nutrientes necesarios. Muchos padres disfrutarán alimentando a su hijo de esta manera que puede no ser la más natural, pero ofrece las mismas garantías de salud y no impide que el momento de comer sea tan íntimo y tierno como el pecho materno.

CÓMO PREPARARLO

Los dos elementos fundamentales para preparar un biberón son el agua y la leche maternizada.

EL AGUA

Es imprescindible que el agua esté perfectamente limpia y esterilizada. Para conseguirla tienes dos opciones:

Agua hervida. Puedes hervir un cazo grande de agua de uno a cinco minutos y guardarla en un envase esterilizado o incluso reservarla tapada en el mismo cazo donde la has hervido.

Ten preparada la cantidad suficiente para varias tomas. No esperes para hervir el agua a que el bebé reclame su biberón. Entre que empieza la ebullición, dejas que hierva y esperas a que se enfríe transcurre una eternidad para un bebé hambriento.

Agua embotellada. El agua mineral embotellada es apta para el consumo de los recién nacidos, así que es una cómoda opción para preparar biberones.

Una solución mixta. Si vives en un lugar donde el agua corriente te gusta para beber, para la mayoría de las tomas puedes hervirla. Pero para emergencias y posibles despistes, ten a mano un par de botellas de agua mineral.

LA LECHE

A cada edad le corresponde un tipo de leche y el pediatra será quien te indique cuál debes adquirir. Sigue estrictamente las indicaciones de preparación del envase. Si añades menos de lo que dice, dejarás al pequeño con hambre; y si pones más de lo adecuado, puedes causarle problemas digestivos.

Existen leches maternizadas adaptadas a problemas puntuales que pueden surgir, como las antialérgicas, antiregurgitación, sin lactosa, antiestreñimiento e incluso de soja. Sigue las recomendaciones del pediatra,

MÉTODOS DE ESTERILIZACIÓN

Antes de esterilizar el biberón, hay que lavarlo con jabón de fregar junto con las tetinas y los aros que sujetan ambas partes y aclararlo todo a la perfección. Después se puede acudir a cualquiera de los siguientes métodos de esterilización:

- Introducir la parte en una cazuela grande con agua hirviendo durante 10 minutos.
- Usar un esterilizador de vapor, eléctrico o para microondas.
- Utilizar un envase especial para esterilizar en frío con sustancias químicas.

Sea cual sea el modo que elijas, puedes aprovechar para esterilizar al mismo tiempo los chupetes y los juguetes de goma, todo ello previamente bien fregado. A partir de los seis meses no suele ser necesario seguir esterilizando los biberones y chupetes, y basta con fregarlos bien y por separado.

ya que con el seguimiento exhaustivo que hace de los bebés es el mejor especialista con el que puedes contar.

Medidas. Por cada 30 ml de agua se suele añadir un cacito de leche maternizada. Usa el cacito que viene en el envase, llénalo en torre y retira el exceso con un cuchillo. Nunca aprietes la leche que has puesto en el cacito para que quepa más.

Pasos recomendados

- Llena el biberón con agua templada hasta la medida que desees.
- Añade la leche necesaria para esa cantidad de agua.
- Cierra el biberón bien y agítalo para que la fórmula se mezcle bien.

Caducidad. Una vez abierto un envase de leche, si se mantiene bien cerrado y se guarda en un lugar seco y protegido del sol, puede durar hasta un mes antes de que caduque.

LA TEMPERATURA DEL BIBERÓN

Lo normal es que el biberón se prepare a 36 o 37 ºC, que son los mismos que los de la temperatura del cuerpo humano y también los de la leche del pecho. Puedes comprobar cómo está dejando caer unas gotas en el interior de tu muñeca.

A cada niño le gusta de una manera y en pocos días te darás cuenta de cuáles son las preferencias de tu hijo. Algunos reclaman la leche tibia e incluso a temperatura ambiente. Otros, en cambio, no se la toman si no está bien caliente y en cuanto se templa, la rechazan. En este caso y si tu bebé es de los que comen despacio, tendrás que volver a calentarlo a mitad de la toma.

Si usas el microondas, debes retirar la tetina para que no se estropee y, además, mezclar bien la leche para que el pequeño no se abrase los labios con la leche que se calienta demasiado en la superficie. En este sentido, y para evitar accidentes, el tradicional baño María o un calientabiberones son más seguros, ya que tienen un tiempo estipulado que impide el calor excesivo.

LA POSTURA IDEAL

- Siéntate en una silla que te sea cómoda, en donde descanses bien la espalda y con la que mantengas los pies apoyados en el suelo.

- Toma al bebé ligeramente incorporado en uno de tus brazos y sujeta el biberón con la mano que tienes libre.

- Acaricia la mejilla del pequeño más cercana a ti con un dedo de la mano que sujeta el biberón.

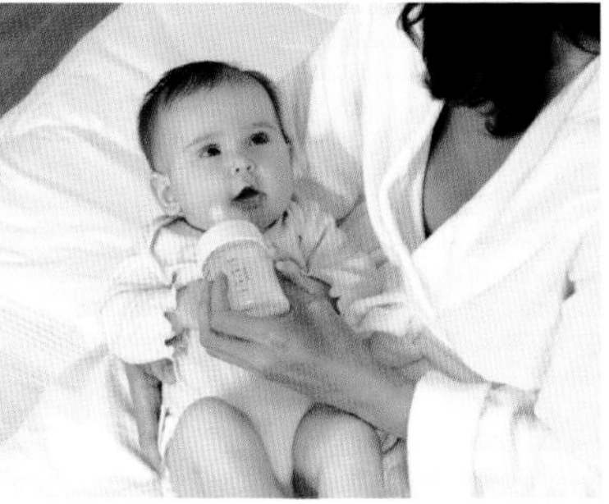

- El niño volverá la cabeza hacia ti entreabriendo la boca. Entonces podrás introducirle el biberón, el pequeño rodeará la tetina con sus labios y empezará a succionar.

- Unas pequeñas burbujas en el interior del biberón indicarán que la leche está saliendo correctamente. Si no ves esas burbujas, comprueba que no se ha hecho el vacío.

- Asegúrate de que en la tetina solo hay leche y no entra aire en el estómago del niño.

- Sujeta firmemente el biberón en tu mano. De otro modo se irá balanceando con los movimientos de succión y el bebé se fatigará.

¿LISTO CON ANTELACIÓN?

Nunca dejes preparados los biberones con varias horas de antelación, porque serían un caldo de cultivo perfecto para los microorganismos.

Lo que puedes tener listo antes de cada toma es un biberón esterilizado con su tetina, agua caliente en un termo para que conserve la temperatura y la leche maternizada con un cacito y un cuchillo al lado. Tampoco está de más dejar a mano unas toallitas húmedas, un babero si se lo sueles poner y un paño limpio. Puedes disponer todo ello en la habitación donde vayas a dar al bebé de comer, incluso en el dormitorio. De este modo facilitarás las tomas nocturnas. Cuantos menos paseos tengas que dar, menos os desveleréis.

Cuando tengas que viajar o salir por algún motivo, puedes llevarte una botella de agua mineral y un envase individual con la leche maternizada ya medida. En cualquier establecimiento pueden calentarte el biberón y prepararlo tú misma para darle de comer.

Otra opción es utilizar un termo especial para biberones, donde puedes llevar el agua ya templada y hacer la mezcla después, en el momento en que la necesites.

ELEGIR EL BIBERÓN

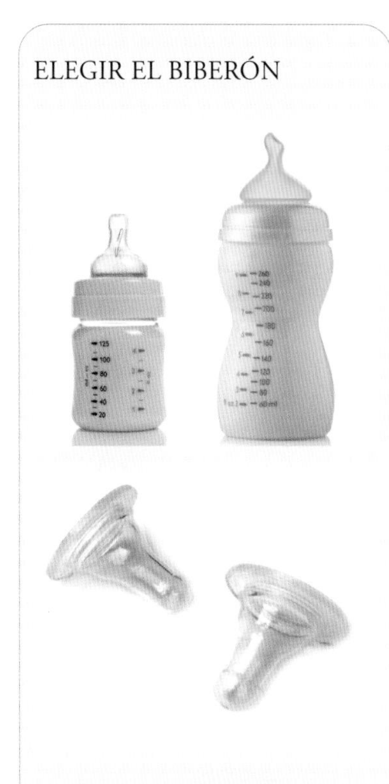

Escoge un biberón de una marca de prestigio. Hay muchas en distintos establecimientos. Las tetinas suelen ser diferentes y adaptadas a las distintas edades de los bebés. Habla con tu pediatra si no sabes por cuál decidirte. También te pueden ayudar la matrona o, si has ido a clases de preparación al parto, alguno de tus monitores. Si tienes dudas, los farmacéuticos también podrán ayudarte a elegir un modelo.

Existen algunas señales inequívocas de que el bebé come lo suficiente. En primer lugar, su peso es correcto con respecto a las tablas pediátricas y, además, se nota que se queda satisfecho después de la toma, que no permanece despierto ni irritado o nervioso, sino que se duerme plácidamente y cada vez alarga más el tiempo entre tomas.

¿COME LO SUFICIENTE?

La preocupación de si el bebé se alimenta adecuadamente es habitual, sobre todo entre las madres que amamantan, que suelen tener la duda de si producen la suficiente cantidad de leche que sus hijos requieren. Sin embargo, estas inquietudes pueden disiparse con una buena información. Si la intranquilidad persiste, lo más recomendable es consultar al pediatra. Un bebé que evoluciona en talla y peso se puede considerar que está bien alimentado.

ALIMENTACIÓN NATURAL

La idea número uno que debe quedar clara es que una madre produce tanta leche como le pide su bebé. De este modo, el pecho de una misma mujer está tan capacitado para alimentar a un recién nacido como a un pequeño de 12 semanas o a unos gemelos. Se trata de tener confianza en que la naturaleza cumplirá su parte.

Amamantar es una actividad de la naturaleza que depende de la demanda de alimento. El pecho se llena de leche, se vacía cuando el bebé mama e inmediatamente vuelve a llenarse. Si el bebé tarda en volver a comer, la leche que ha producido el pecho será suficiente para la siguiente ocasión. Pero si pide una nueva toma poco tiempo después y se la das, tus senos se vaciarán y volverán a llenarse en seguida, de manera que poco importa la cantidad de tomas, nunca te quedarás sin leche.

Como puedes ver, cuanto más a menudo se vacíe el pecho, más leche se producirá. Y en unos días dispondrás de tanta leche, que el pequeño se sentirá satisfecho con una toma y empezará a demandar las siguientes con menor frecuencia.

Tres claves para que el sistema funcione:

Olvídate de horarios rigurosos y permite a tu hijo mamar siempre que lo pida. Durante los días siguientes al nacimiento puede que quiera comer hasta una docena de veces el mismo día. Ten paciencia, porque son momentos de adaptación del uno al otro. Pronto os compenetraréis: sigue la máxima de lactancia a demanda.

Empieza cada toma por un pecho distinto de la vez anterior. Así, ambos senos estarán estimulados por los movimientos de succión primeros, que son los más apremiantes.

Evita completar las tomas con biberón si parece que se queda con hambre. Aparca la impaciencia durante unos días y verás cómo pronto os habréis adaptado el uno al otro.

ALIMENTACIÓN ARTIFICIAL

Los lactantes que toman biberón deben empezar con leche especialmente adaptada al recién nacido humano porque son incapaces de digerir la leche de vaca. Si sigues las indicaciones de tu médico y las normas de preparación que se incluyen en los envases, tu pequeño se alimentará con una fórmula lo más semejante a la leche materna. En la actualidad las leches maternizadas están fabricadas con una combinación de proteínas, vitaminas, grasas y azúcares muy parecida a la de la leche natural, y protegen igual que la leche de los bebés lactantes.

Los primeros biberones se preparan con fórmulas denominadas de inicio, que se suelen emplear hasta los seis meses. Después se utilizan las fórmulas llamadas de continuación y a partir de los 12 meses las fórmulas de crecimiento, cuya ingesta está recomendada hasta los tres años por el Comité de Nutrición de la Sociedad Europea de Gastroenterología, Hepatología y Nutrición Pediátrica. A partir de entonces, pueden tomar la misma leche que un adulto.

Es frecuente que las madres que no pueden dar el pecho a su hijo se sientan frustradas e incluso culpables por no alimentar a su hijo de forma natural. Para evitar estos sentimientos, piensa en las ventajas del biberón: el bebé se siente saciado y sabes cuánto come y otras personas pueden ayudarte en su cuidado.

Ventajas del biberón

- Permite saber con exactitud qué cantidad de alimento ingiere el bebé.
- La madre puede ausentarse del lado de su pequeño desde los primeros días si necesita tiempo para ir a trabajar o cualquier otra actividad.
- La pareja y el resto de la familia pueden tener un papel mucho más activo en el cuidado del lactante.

APORTE NUTRICIONAL RECOMENDADO PARA ALIMENTACIÓN CON BIBERÓN

Edad	Medidas de leche	Ml de agua	Tomas diarias
0-2 semanas	2	60	8
3-8 semanas	3	90	7
2-3 meses	5	150	5-6
4-6 meses	6	180	4-5
Desde los 7 meses	8	240	4

BEBÉS PREMATUROS, ALGO MÁS DE ATENCIÓN

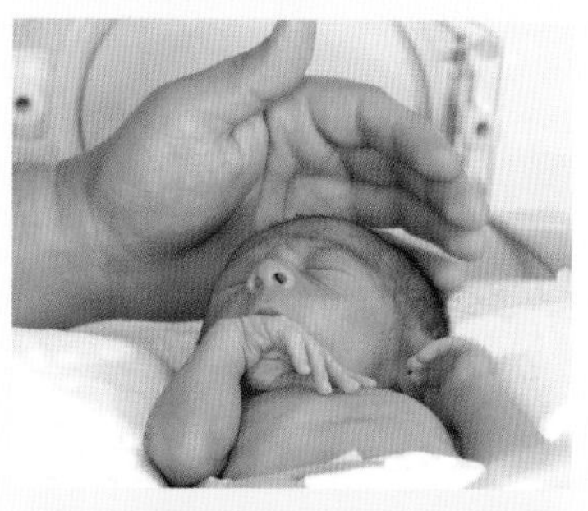

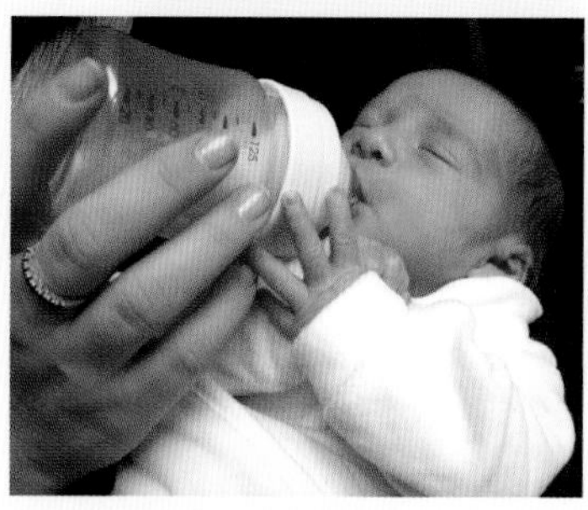

Los bebés que nacen antes de la semana 37 de embarazo son niños prematuros con los que hay que tener algo más de dedicación hasta que maduran lo suficiente.

Un prematuro es posible que no llore cuando tenga hambre o, si se le alimenta con biberón, necesite una tetina más blanda de lo normal para facilitarle la succión. Aunque hay que intentar tratarle con la mayor normalidad posible, es recomendable prestarle algo más de atención.

En los prematuros la leche materna es más beneficiosa, pues garantiza un menor riesgo de infecciones, muy peligrosas en niños de bajo peso. Las madres pueden extraerse la leche, que se les dará a sus hijos con una sonda mientras estén en la incubadora.

Cada niño necesita una cantidad particular de nutrientes, que depende de varios factores, como la actividad física que desarrolla, el metabolismo, el crecimiento y el entorno climático. A pesar de ello, los especialistas basan sus recomendaciones nutricionales en las directrices del Comité de Expertos de la Organización para la Agricultura y la Alimentación y de la Organización Mundial de la Salud (FAO/OMS), así como de la Academia Americana de Pediatría y el Consejo Nacional de Alimentación de Estados Unidos.

SUPLEMENTOS VITAMÍNICOS

La aportación de vitaminas es esencial en el desarrollo del bebé, y lo normal es que la mayor parte se ingiera a través de la dieta. Sin embargo, algunos pediatras son partidarios de incluir ciertos suplementos vitamínicos. Sigue las sugerencias del tuyo.

¿DEBO DARLE AGUA?

Los lactantes tienen unas necesidades de hidratación muy superiores a las de los adultos. La leche es el medio por el que ingieren la mayor parte de la cantidad de líquido que necesitan a diario, especialmente los bebés amamantados.

Aun así, si el pediatra lo recomienda, se puede ofrecer al pequeño líquidos en forma de agua, zumos cuando comienzan a introducirse las frutas en su dieta e incluso infusiones especiales para bebés.

NECESIDADES DE LÍQUIDO DE UN LACTANTE

Normalmente, los lactantes no necesitan más agua que la que se incluye de forma natural en la leche materna o en el biberón de fórmula. Sin embargo, habrá ocasiones en las que haya que dar un aporte extra de agua, por ejemplo, si en verano hace un calor excesivo, si se vive en una casa con una calefacción demasiado fuerte, o si se da el caso de que el bebé enferme y tenga fiebre o diarreas.

Edad	Ml de líquido al día
10 días	400-500
3 meses	750-850
6 meses	950-1.100
9 meses	1.100-1.250

EL CONTROL DEL PEDIATRA

El mejor amigo de unos padres que acaban de tener un bebé es el médico especialista o pediatra. Será su guía en los cuidados del pequeño, llevará un control exhaustivo de su correcto desarrollo y podrán consultarle cualquier duda que se presente.

UN CONSEJERO PERFECTO

Tu pediatra sabe cómo y cuándo debes alimentar a tu bebé, lo que debe pesar a medida que pasan los días, cuándo hay que administrarle las distintas vacunas, si padece alguna enfermedad y cómo tratarle. Así que ten plena confianza en sus consejos antes que en los de otras personas sobre alimentación y sueño de tu hijo.

En cuanto al peso y crecimiento de los lactantes, los médicos se guían por unas tablas de percentiles que indican una media entre valores máximos y mínimos de desarrollo. Si las medidas de tu hijo no entran dentro de los valores de dichas gráficas, ten la seguridad de que el pediatra sabrá exactamente qué hacer.

La primera visita al pediatra (aparte de las que se realicen en el hospital nada más nacer) suele hacerse a los 10 días del nacimiento. El médico explorará al bebé y le abrirá una historia clínica, además de dar información a los padres sobre la alimentación, el sueño, la higiene, etc. Por supuesto, este profesional es la persona ideal para solucionar todas las dudas y temores.

AJUSTES PROPIOS DEL BEBÉ

El organismo de los lactantes posee un maravilloso mecanismo de ajuste que hace que el pequeño pida exactamente la leche y el agua que necesita y que, por supuesto, es diferente en cada individuo. Las necesidades nutricionales de los bebés dependen de su metabolismo, así que nunca se puede comparar lo que come un niño con lo que ingiere otro.

Los padres pueden sentirse despistados si no saben con precisión las cantidades de leche que toma su pequeño. Pero lo cierto es que mientras se alimenta exclusivamente de leche, el bebé demanda según sus necesidades.

Nunca hay que obligarle a comer más de lo que necesita, tampoco limitarle las cantidades de leche para que se ajuste a un horario estricto , y mucho menos ofrecerle alimentos sólidos o variados antes de tiempo. En estos casos el ajuste natural para el que está programado su organismo no tendrá lugar.

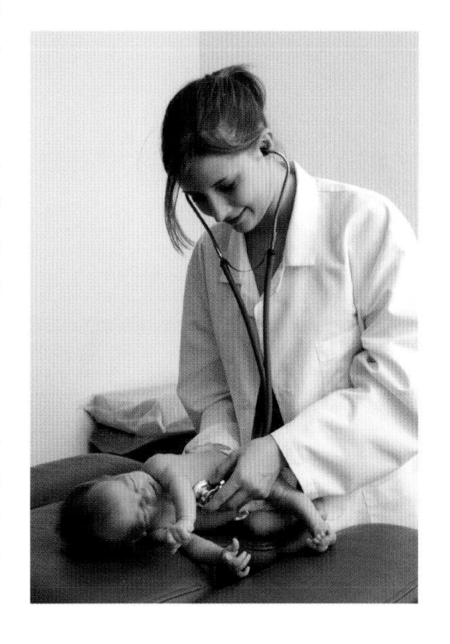

COMBINAR PESO Y ESTATURA

La comprobación de si los lactantes se desarrollan correctamente se observa no solo en su peso, sino también en la estatura. Para interpretar las gráficas de longitud y peso se busca primero la edad del niño en el eje horizontal. Desde ese punto se traza una vertical hasta que corte con una línea del gráfico.

Crecimiento de cero a dos años. Niños

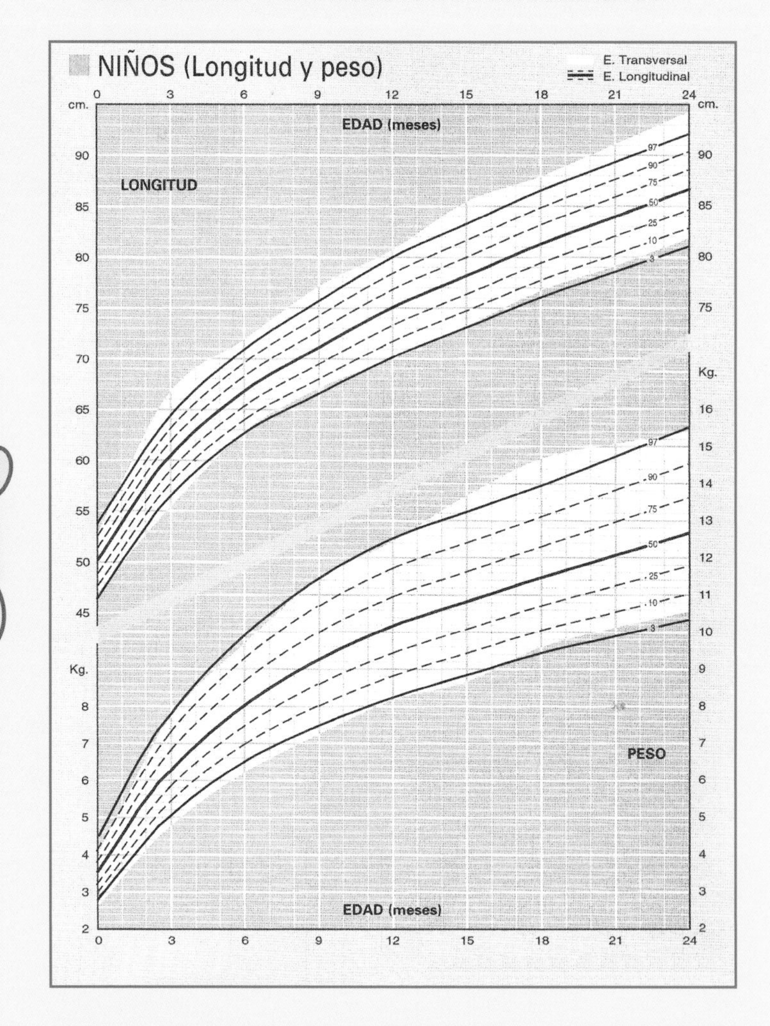

Gráficas de percentiles. Fuente: Consejería de Salud de la Comunidad de Madrid.

Todos los valores incluidos en el percentil son normales. Lo más importante no es tener un percentil muy alto, sino valorar que el niño crezca.

Crecimiento de cero a dos años. Niñas

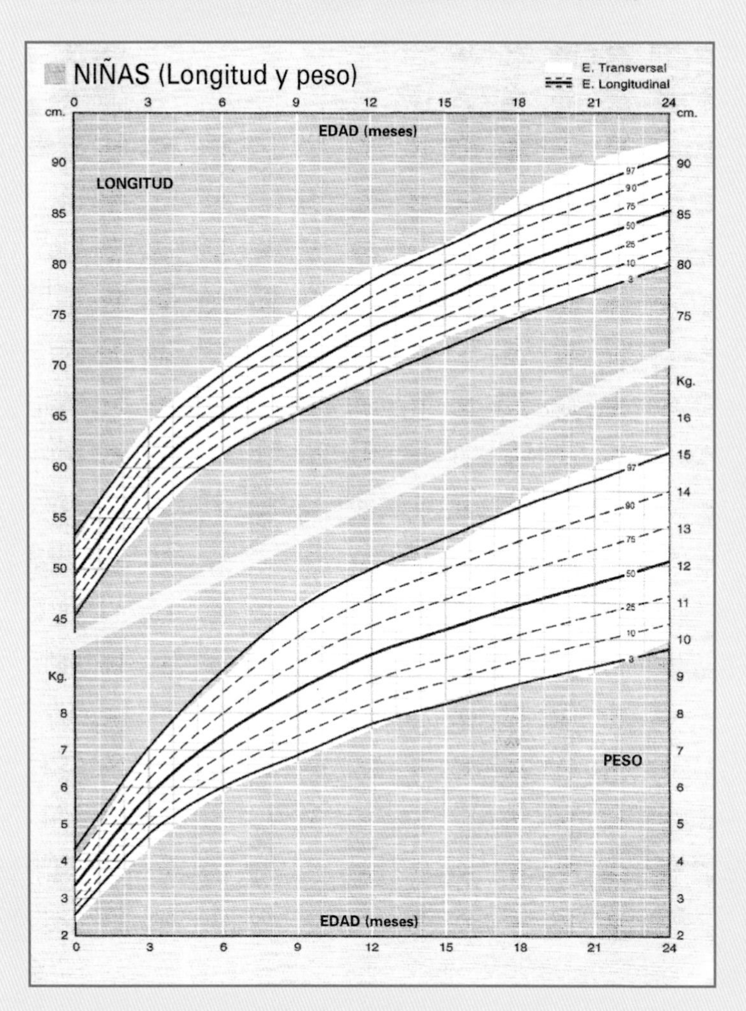

Gráficas de percentiles. Fuente: Consejería de Salud de la Comunidad de Madrid.

Todos los valores incluidos en el percentil son normales. Lo más importante no es tener un percentil muy alto, sino valorar que la niña crezca.

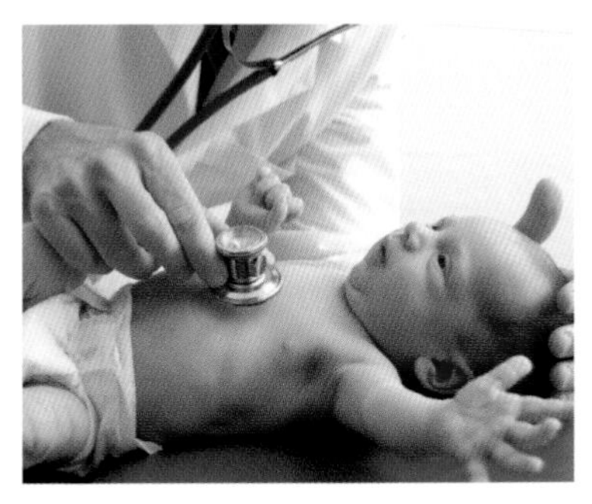
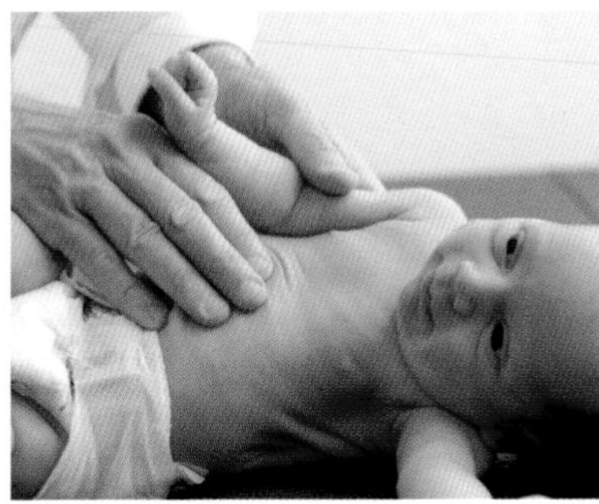
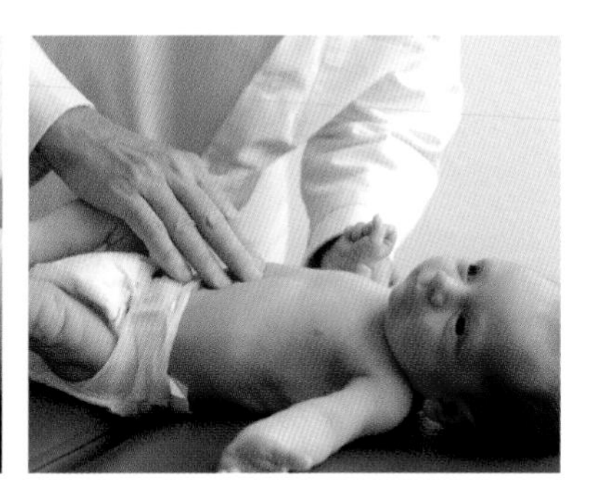

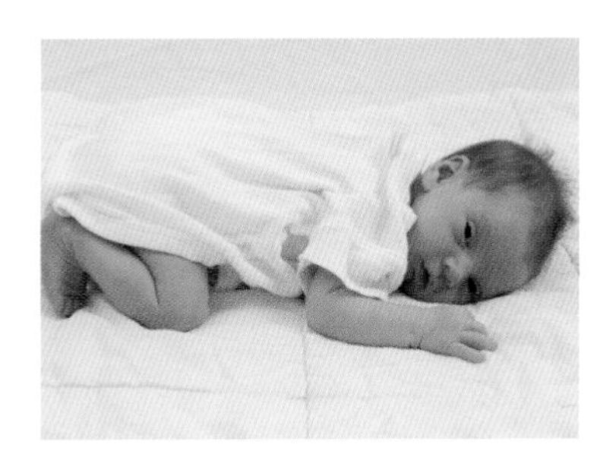

Normalmente, en todas las consultas de control, el pediatra pesará y medirá al bebé para comprobar su correcto desarrollo, le auscultará y palpará el abdomen para asegurarse del buen funcionamiento de los órganos internos y revisará su tono muscular. Además, llevará un control del calendario vacunal y orientará a los padres en todo lo que necesiten.

Dichas líneas tienen un número: 3, 10, 25, 50, 75, 90 y 97. Si el pequeño está en la línea 50, por ejemplo, se dice que comparado con otros 100 niños normales hay 50 que pesan o miden más, y otros 50 que pesan o miden menos, es decir, estaría justo en la media.

LAS MEDIDAS

Cuando los recién nacidos recuperan el peso que han podido perder durante los primeros 10 días, engordan unos 28 gramos diarios. Además, crecen unos 2 centímetros al mes y en 3 meses algo más de 5 centímetros. Naturalmente, son cifras aproximadas.

¡HA PERDIDO PESO LOS PRIMEROS DÍAS!

No te alarmes si tu pequeño al nacer tiene un determinado peso y cinco o seis días después pesa unos gramos menos. En un plazo de 10 días como máximo cogerá peso y a partir de ahí no dejará de engordar.

LA DEFECACIÓN

Deposiciones de ajuste. Los primeros días el lactante tiene que adaptar su aparato digestivo a la nueva forma de alimentación que acaba de iniciar. Por ello, las deposiciones pueden ser verdosas y llenas de mucosidades y coágulos que expulsará con violencia.

En absoluto quiere decir que el bebé tenga gastroenteritis, y mucho menos si es alimentado con lactancia natural. Si de todas maneras lo deseas, puedes consultar con el pediatra y llevarle una muestra en un pañal bien cerrado.

Deposiciones normales.

- Los lactantes amamantados suelen dejar unas deposiciones anaranjadas o marrones claras que huelen a leche. Es muy probable que haga siete u ocho deposiciones diarias, normalmente después de la toma, o que no haga ninguna en cuatro días. Ambas posibilidades son perfectamente normales. Como la leche materna es la mejor que puede tomar, desecha preocupaciones.

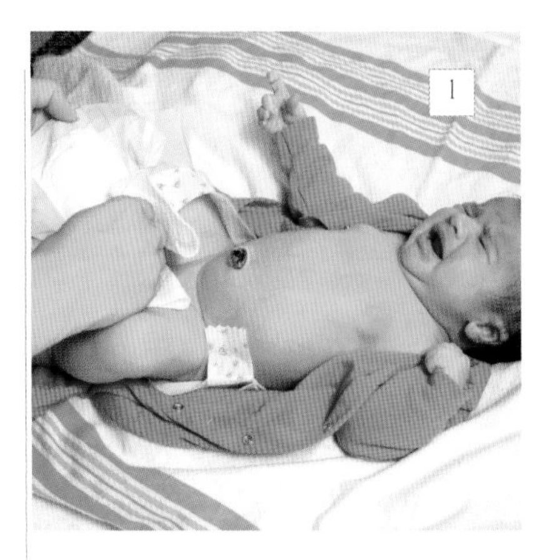

- Si alimentas a tu hijo con biberón, estate atenta a sus deposiciones. Suelen ser más sólidas que las del bebé amamantado, de color marrón y un olor parecido al de una deposición de un niño mayor. Cualquier anomalía que creas ver consúltala con el pediatra. Quizá sea conveniente cambiar de fórmula, pero antes de hacerlo espera a la opinión del médico y nunca utilices remedios caseros o aconsejados por amigos y familiares; respeta la opinión del médico.

ESTREÑIMIENTO

La alimentación con biberón puede provocar estreñimiento más frecuentemente que la lactancia natural. El bebé lo padece cuando pasa un par de días sin hacer ninguna deposición y luego hace una más bien dura y que le provoca malestar. A lo mejor le falta líquido. Prueba a ofrecerle agua más a menudo. Una cucharadita de café de zumo de naranja puede poner remedio a los casos más rebeldes.

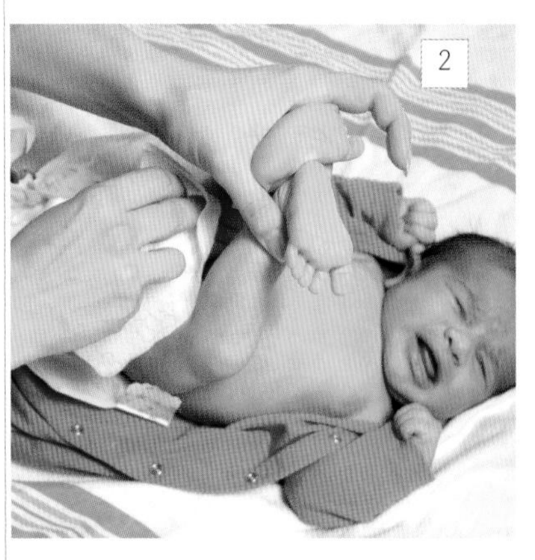

VÓMITOS Y DIARREA

Vómitos. Lo primero es distinguir entre la regurgitación, que se produce en los lactantes después de comer y sale sin apenas fuerza, y el vómito, que es la expulsión violenta de gran cantidad de alimento. Un único episodio no debe originar preocupación, pero si se repite o se acompaña de fiebre, aunque sean décimas, hay que acudir al médico inmediatamente para evitar una posible deshidratación. Son signos de deshidratación de orina muy concentrada o escasa, la sed, llorar sin lágrimas, piel poco elástica, etc.

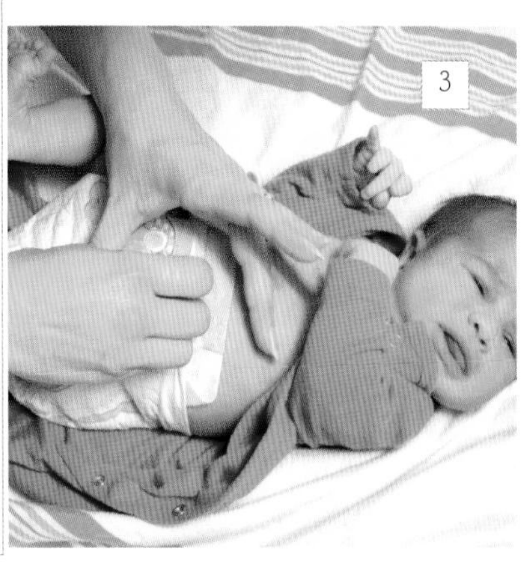

Diarrea. Si un lactante que toma biberón tiene diarrea, se debe ir al médico por si hubiera contraído gastroenteritis. En los bebés alimentados exclusivamente con leche materna, el aspecto más bien líquido de las deposiciones no tiene por qué causar temor. Simplemente con seguir dando el pecho se evitan todos los problemas.

PASOS PARA CAMBIAR UN PAÑAL

Debemos cambiar el pañal de bebé nada más sepamos que ha defecado para que el culito no se le irrite.

1. Quitamos el pañal sucio y limpiamos al bebé con una o dos toallitas húmedas los restos de orina o defecaciones.
2. Extendemos una crema protectora para evitar irritaciones. Es mejor usar cremas especializadas que polvos de talco.
3. Colocamos el pañal nuevo por debajo de la cintura del bebé, extendiendo la parte delantera y los laterales.
4. Cerramos por encima la parte delantera y después ajustamos los laterales elásticos y autoadhesivos sin presionar. Vestimos al bebé.

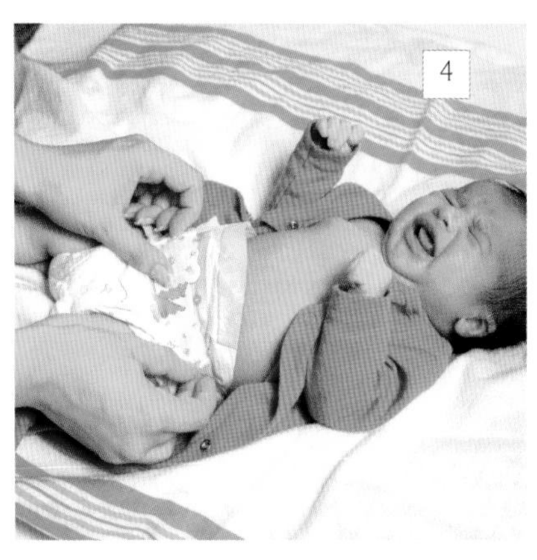

EL CÓLICO DEL LACTANTE

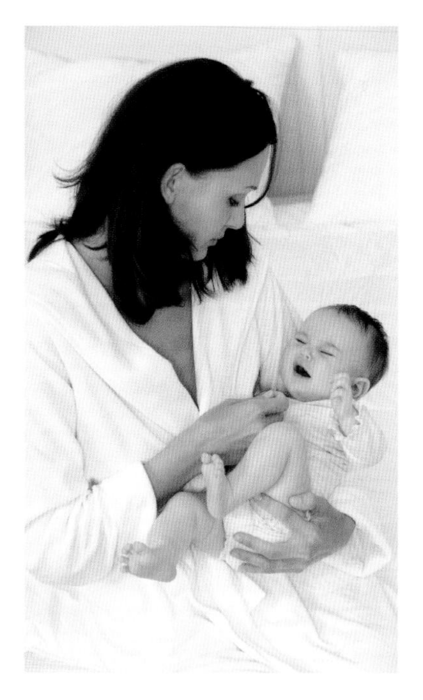

Un bebé con el cólico del lactante puede llorar sin consuelo durante más de tres horas. Lo que el niño siente es un dolor de tipo «pinchazo», generalmente en el estómago, que puede ser progresivo. Esto hará que el niño llore y tenga espasmos musculares, apretando los puños y flexionando las piernas. Tenerlo en brazos, darle un suave masaje y acariciarle puede aliviarle un poco.

Sin causa conocida y capaz de destrozar los nervios de los padres más pacientes, el cólico del lactante lleva al bebé al llanto más desconsolado normalmente hacia el final del día. El fenómeno se repite a diario durante algunas semanas sin que se pueda hacer nada más que armarse de paciencia y acompañar al pequeño en esos malos ratos. No conviene perder los nervios ni alterarse.

OCHO PUNTOS CLAVE

¿Cuándo aparece el cólico?

Entre las tres y seis semanas de edad algunos bebés empiezan a llorar sin consuelo cada día al final de la jornada, hacia el atardecer.

Causas que lo originan

Nada se sabe del origen de esos lloros desgarradores. Si se supiera qué puede provocarlos, con tantos avances médicos ya se les habría puesto remedio.

¿A cuántos lactantes afecta?

Es difícil de calcular, pero se estima que entre un 15% y un 25% de los bebés lo padecen.

¿La alimentación tiene alguna influencia?

En absoluto. No creas que un cambio en los horarios de las tomas o en la fórmula del biberón conseguirá que el cólico desaparezca.

¿Es una señal de enfermedad?

El cólico del lactante, también llamado cólico nocturno, no indica que el bebé se encuentre enfermo ni que tenga un comportamiento preocupante. Es algo que se pasa solo con el tiempo.

¿Por qué se llama cólico?

Es un nombre como otro cualquiera para denominar una situación de causa y remedio desconocidos, pero que ayuda a que los padres sepan exactamente a lo que se enfrentan.

¿Cuántos días dura?

En el peor de los casos puede durar como mucho 12 semanas, aunque lo normal es que sea menos tiempo.

¿Qué pueden hacer los padres?

Armarse de paciencia durante el tiempo que su hijo sufre el cólico, tomarlo en brazos y no desesperarse.

CÓMO RECONOCER SI TU HIJO TIENE CÓLICO

- Invariablemente todas las tardes o a primeras horas de la noche el bebé se pone a llorar.
- Puede que lo haga cuando ha terminado de comer o que, aunque inmediatamente después se queda dormido, a la media hora se despierte llorando.
- Dobla las piernas sobre el vientre como si tuviera un gran dolor abdominal.
- Su llanto es desesperado.
- Es posible que deje de llorar y permanezca callado y tembloroso durante unos minutos hasta que de pronto vuelve a iniciar el llanto.
- Quizá un eructo u succionar el pezón le calme unos instantes, pero pronto retoma el llanto.
- Llora entre una y cuatro horas cada tarde o noche, pero el resto del día se comporta normalmente.

QUÉ SÍNTOMAS INDICAN QUE NO SE TRATA DE UN CÓLICO

- El bebé no llora, pero se queja, está nervioso y gimotea antes de quedarse dormido.
- Si tras un eructo se queda tranquilo y logra dormir, es que tenía aire que le molestaba, no un cólico.
- Si deja de llorar después de comer, es que tenía hambre, aunque no fuese la hora de una toma.

Un masaje puede liberar al bebé de gases o molestias estomacales que a veces son responsables del cólico del lactante, aunque deben darse con precaución, de manera que más que un masaje sean suaves caricias.

ALIMENTACIÓN DE LA MADRE

El cólico del lactante en bebés que están siendo amamantados puede tener varias causas, desde la hipermotilidad intestinal o los gases, hasta el reflujo gastroesofágico. Aunque no está demostrado, la dieta de la madre podría estar relacionada con los cólicos y por eso es recomendable que mientras dura el periodo de lactancia, la madre evite tomar café, té o refrescos de cola con cafeína. Este tipo de estimulantes ponen nervioso al bebé, pueden ocasionarle gases y empeoran el cuadro.

También puede evitar las comidas muy picantes y, obviamente, debe olvidarse del alcohol y del tabaco. Pero fuera de estas recomendaciones generales, poco puede hacer la madre, salvo tratar de consolar a su hijo y mantener la calma pensando que en poco tiempo los cólicos desaparecerán y la tranquilidad volverá al hogar.

QUÉ PUEDEN HACER PAPÁ Y MAMÁ

Si tu hijo tiene cólico del lactante, ponte una armadura de paciencia y acompáñale en esos momentos tan desdichados. No le dejes sufrirlos solo. Después del cólico, si el pequeño está despierto, cógele en brazos y hazle unas carantoñas. Luego acuéstale y verás cómo se queda dormido plácidamente.

Tanto el padre como la madre deben turnarse para tratar de calmar al bebé en esa difícil situación; si uno solo de ellos debe afrontarlo, el desgaste y el cansancio será mayor, mientras que turnándose, ambos mostrarán más paciencia y menos irritación cuando les toque. Además, es buena idea tratar de disfrutar al máximo del bebé cuando está tranquilo, para recordar luego en los malos momentos lo encantador que es el bebé, que no tiene la culpa de sufrir un cólico y que pronto se le pasará.

- El niño deja de llorar después de 15 o 30 minutos, se duerme, pero vuelve a despertarse llorando. Seguramente tiene un mal día y nada más.

- El bebé llora a cualquier hora del día o de la noche en vez de hacerlo a una hora fija del atardecer o del anochecer.

CAUSAS DEL CÓLICO

Un reciente estudio de la Universidad canadiense de Western Ontario asegura que es imposible asociar la alimentación de los recién nacidos con la aparición del cólico unas semanas después. Según el mencionado estudio, el 23% de los bebés amamantados, el 21% de los que solo tomaron leche maternizada y el 29% de los que tomaron una combinación de leche materna y fórmula, tuvieron cólico.

MASAJES PARA FACILITAR LA DIGESTIÓN

A pesar de que científicamente no se puede afirmar con rotundidad que el cólico del lactante se debe a problemas intestinales, un masaje abdominal siempre es beneficioso y es una oportunidad para mejorar la digestión de los pequeños.

Mientras tu hijo está en pleno episodio de llanto no trates de que se le pase dándole un masaje. En ese momento el vientre está tenso y el masaje apenas le reportará beneficios. Es preferible que lo intentes cuando esté calmado. Masajea su abdomen suavemente en el sentido de las agujas del reloj. En muchos casos con esta técnica se ayuda al bebé a que expulse los gases y tenga unas digestiones más placenteras.

En el caso de que el masaje apenas reporte beneficios a la digestión de tu pequeño, al menos este lo disfrutará por estar en tu compañía y obtener tus caricias, dos factores que le harán profundamente feliz.

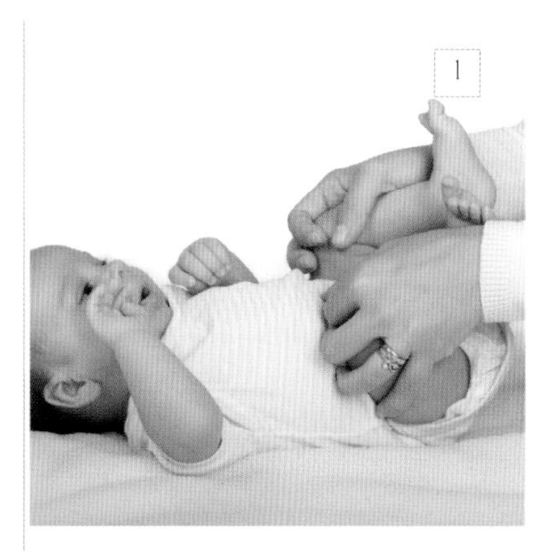

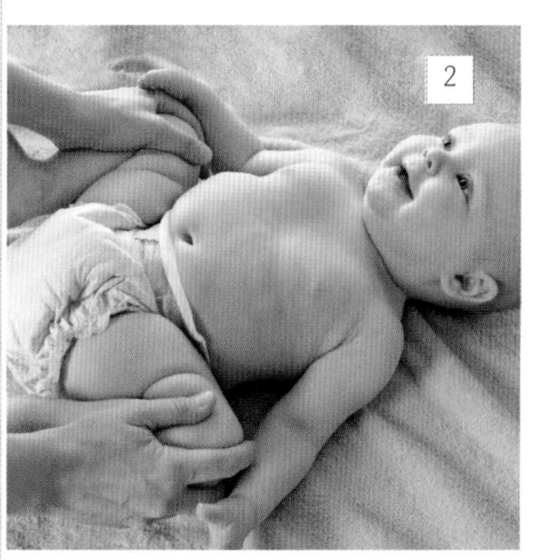

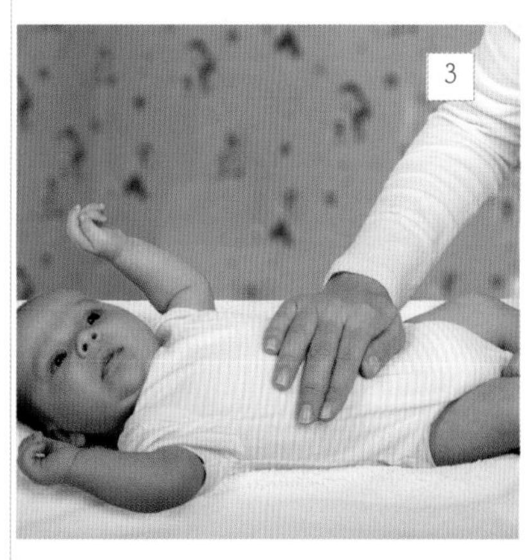

EJERCICIOS PARA CÓLICOS

Toma nota de estos ejercicios.

1. Túmbale boca arriba, dobla sus piernas y llévalas hacia su abdomen y luego estíralas; hazlo varias veces seguidas.
2. Tumbado boca arriba, agarra sus piernas y llévalas hacia afuera para relajarlas, luego vuelve a la posición inicial.
3. Masajéale el abdomenen en el sentido de las agujas del reloj presionando muy suavemente.
4. Muchas veces poniéndolo boca abajo con tu mano sobre su tripita, se calma un poco.

El tiempo ha pasado muy deprisa y ese bebé tan pequeño e indefenso que llegó a vuestra casa por primera vez es ahora un bebé gordito y mucho más grande, capaz de reírse, muy interesado por todo lo que le rodea y que demanda más atención.

DE TRES A SEIS MESES

De los tres a los seis meses se suceden cambios muy importantes en la vida del bebé: su alimentación empieza a diversificarse, puede agarrar juguetes con sus manos, sostiene la cabeza y empieza a querer sentarse... ¡Todo un cambio!

Desde hace algunos meses tu hijo ya es un miembro más de la familia, aunque aún es un bebé que reclama tu constante atención. A partir de los tres meses observarás en el pequeño cambios en el sueño y en la alimentación, que seguramente plantearán nuevos retos en vuestro día a día.

DEL CUCO A LA CUNA

A los tres meses a tu hijo se le habrá quedado pequeño el cuco. ¡Con lo chiquitín que era cuando lo estrenó y ahora casi no tiene espacio para estirar las piernas y los brazos! Tendrás que pensar en cambiarle a una cuna.

UN PRIMER GRAN CAMBIO

Si el bebé ha dormido en vuestra habitación desde que nació, quizá sea el momento de llevarle a su propio dormitorio. O a lo mejor preferís ponerle la cuna en vuestro cuarto.

Aunque no hay prisa para adoptar una decisión u otra, lo cierto es que cuanto más pequeño sea el bebé, menos notará el cambio. Pero si lo retrasáis hasta el año de edad, os arriesgáis a que el paso de una habitación a otra sea difícil porque el pequeño se niegue a tener que dormir sin vuestra compañía.

TIEMPO DE ADAPTACIÓN

Quizá decidáis poner al bebé en su cuna, pero en vuestra habitación, durante un mes antes de trasladarlo a su dormitorio. Esta opción tiene como ventaja que si el pequeño continúa haciendo alguna toma nocturna o se resfría, lo tienes más a mano para atenderle.

Por el contrario, si deseas que se traslade a su habitación cuanto antes, pero temes que el bebé sufra con el cambio, puedes empezar por acostarle en la cuna para que haga algunas de sus siestas. De este modo se irá familiarizando con su nuevo lecho y no lo extrañará cuando retires definitivamente el cuco.

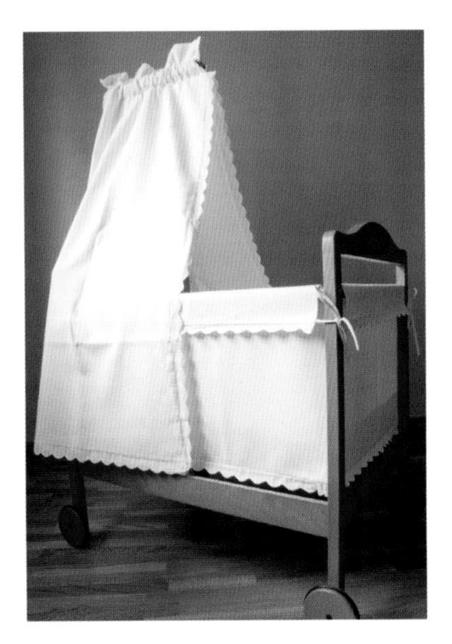

EN SU PROPIO DORMITORIO

Si eres de las que prefieres trasladar al pequeño a su propia habitación lo antes posible, adelante. De hecho, muchos padres ponen al lactante en un dormitorio individual desde el primer día. Como hemos dicho más arriba, cuanto antes se realicen los cambios, resultarán menos traumáticos para el pequeño.

Cómo asegurarte de que lo oirás cuando te llame:

- Deja las puertas de las habitaciones abiertas.
- Hazte con un interfono. Se consiguen fácilmente en las tiendas infantiles especializadas. En la actualidad los hay que se activan en cuanto perciben el menor sonido que emite el bebé, con lo que estarás segura de que oirás cualquiera de sus llamadas.

Por otra parte, si tu hijo tiene un sueño ligero, tener su propio dormitorio le facilitará el sueño y vosotros tendréis mayor libertad de movimientos en vuestro cuarto sin temor a que el pequeño se despierte.

EN LA CAMA CON LOS PADRES

Algunas madres prefieren que sus bebés duerman con ella en su misma cama.

Ventajas

- La mayoría de los lactantes que duermen al lado de su madre se despiertan muchas menos veces por las noches.

- No necesitan llamarte exclusivamente para tener tu compañía porque ya están contigo.

- A la hora de amamantarle los primeros días es mucho más cómodo.

Inconvenientes

- Antes de decidir acostar al bebé en tu cama, debes ser consciente de que cuando más adelante quieras que se traslade a su propia cuna, te costará convencerle de que es mucho mejor dormir solo que contigo.

Es posible que en un principio decidas que lo mejor es dormir separados, pero que después de una mala semana te veas llevándote al bebé a tu cama porque te sientes exhausta. Nada hay que reprochar a este cambio de opinión, pero antes de hacerlo piensa detenidamente las consecuencias que tendrá para las siguientes semanas.

La cama de los padres puede convertirse en un cómodo espacio para jugar, cantar, hacer gimnasia y dar masajes, pero quizá sea mejor para toda la familia que cada uno tenga su propio espacio en el que dormir.

La teoría del colecho (compartir la cama con los hijos) tiene adeptos, pero también detractores. Entre sus ventajas está la de prestar una protección constante al bebé, que tiene el calor de su madre y una lactancia materna con menos cansancio. Sin embargo, cuidado con el peligro de aplastar al bebé o de que se caiga de la cama: por eso muchos padres prefieren que duerma en su cuna.

La cama de papá y mamá es un lugar maravilloso para los bebés: un sitio, para ellos enorme, donde jugar y recibir mimos, tan acogedor y divertido. Pero para dormir, mejor cada uno en su colchón.

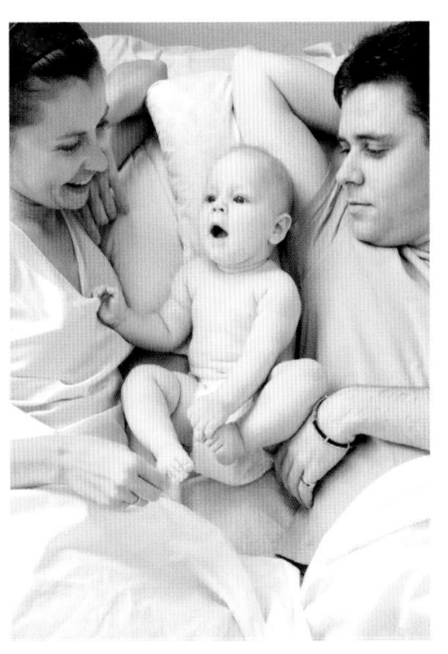

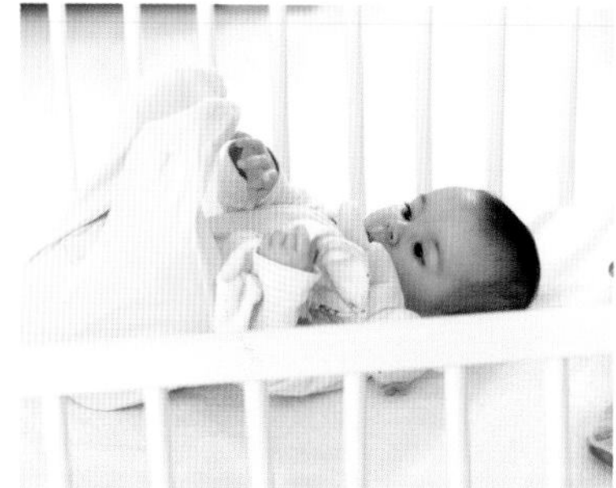

TRUCOS PARA UNA MEJOR ADAPTACIÓN A LA CUNA

Es aconsejable que coloques en el cuarto del bebé una lámpara que dé una luz tenue. De este modo, si tienes que darle una toma nocturna podrás ver sin que el niño se desvele.

Si el bebé tenía un móvil o alguna luz especial en el moisés, colócalos en su cuna para que lo ayude a adaptarse al nuevo lecho.

Si utiliza chupete para dormir, prueba a ponerlo dos o tres en la cuna a su alcance. A veces, si se despiertan junto a un chupete, no se desvelan.

LA MEJOR CUNA

SU ESTRUCTURA

- Los materiales deben ser sólidos con un somier plano e indeformable.
- El acabado tiene que estar bien pulido.
- Hay que asegurarse de que la pintura o el barniz empleados no resultan tóxicos.
- Las uniones deben estar atornilladas.
- Si la cuna tiene barrotes, la separación entre estos nunca puede pasar de los 7,5 centímetros para evitar que el niño introduzca la cabeza entre ellos.
- De la barandilla al colchón debe haber una altura de 60 centímetros para que cuando el pequeño sea capaz de ponerse de pie, no se caiga si se asoma.

EL COLCHÓN

- El material del colchón depende de tus preferencias. Puede ser de látex, espuma, muelles, etc.
- Su grosor debe ser de unos 10 o 15 centímetros.
- El tamaño tiene que adaptarse al del somier.
- Debe ser plano.
- Elige uno que tenga una funda fácil de limpiar y que se quite y coloque sin dificultad.
- Nunca pongas un plástico debajo de la sábana bajera, ya que impide que el colchón transpire.

PREVENIR Y CONTROLAR LOS PROBLEMAS DEL SUEÑO

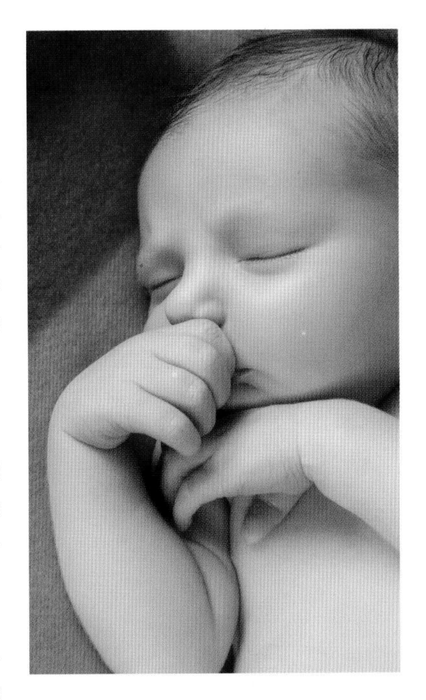

Sigue pasos sencillos para garantizar un plácido sueño de tu bebé: ropa de cuna acorde con la temperatura, respeto por los horarios, no dormirlo en brazos, sino en su cuna y una serie de rutinas antes de irse a dormir, junto con un poco de paciencia y buen humor, son la receta para que un bebé aprenda a dormir toda la noche.

Conseguir que un bebé duerma el máximo de horas por la noche es un proceso que requiere algo de paciencia, pero si ponemos en práctica una serie de pautas de actuación, nuestro pequeño pronto aprenderá a distinguir el día de la noche y será capaz de dormir más tiempo en las horas nocturnas, lo que proporcionará un descanso muy recomendable para sus atareados padres.

LAS RUTINAS

Establecer rutinas para dormir es el método que da mejores y más rápidos resultados a la hora de conseguir que el bebé aprenda a dormir el máximo de horas por las noches de una manera habitual. Las rutinas le dan tranquilidad y seguridad.

Los cambios le desconcertarán y su comportamiento resultará impredecible: a veces reclamará atención durante horas mientras que en otras ocasiones se dormirá inmediatamente después de acostarlo para despertarse un par de horas después, asustado y reclamando de nuevo toda vuestra atención.

Por el contrario, si te obligas a seguir unas prácticas constantes, en un par de semanas lograrás que tu hijo alcance las cinco o seis horas seguidas de sueño nocturno.

MEDIDAS BÁSICAS

- **Fija una hora** para acostar al bebé cada noche.
- **Establece las pautas** que vayas a llevar a cabo a diario para que el bebé las asocie al sueño.
- **Realiza dichas pautas siempre** en el mismo orden.

SIN RIGIDEZ

Aunque te hayas propuesto llevar a cabo siempre las mismas acciones y a unas determinadas horas fijas, ten en cuenta que debes hacerlo con cierto grado de flexibilidad. Puede que el pequeño se ponga enfermo o surja cualquier imprevisto. En esos casos olvídate de tu plan de actuación. Es una excepción y como tal no debe desesperarte. Pronto volverá la normalidad y podrás retomar las rutinas. Desde muy pequeños, los niños están preparados para entender que aunque existen normas generales, también puede haber excepciones, de manera que si un día te saltas la norma por una causa razonable, no perderás de golpe todo el terreno que ganaste con la rutina.

¿QUÉ PRÁCTICAS SON LAS MÁS RECOMENDABLES?

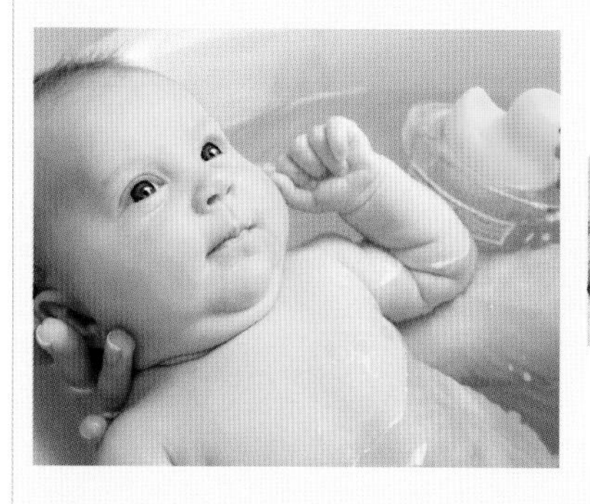

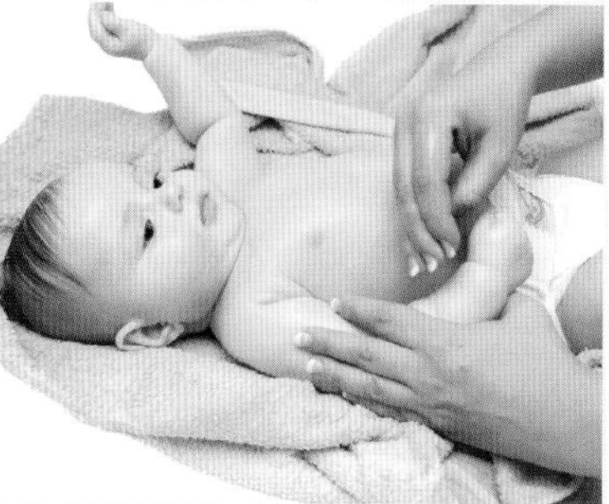

Toma nota de las rutinas que te proponemos para que cada noche tu hijo se prepare física y mentalmente para el sueño nocturno. Cuanto más establecidas estén, mayores son tus posibilidades de éxito en cuanto al descanso del bebé. Entre ellas, las siguientes:

- Un baño tibio
- Un masaje cariñoso
- Una canción de cuna
- Darle el pecho o el biberón
- Una música suave para conciliar el sueño

¿CUÁNTAS SIESTAS SON RECOMENDABLES?

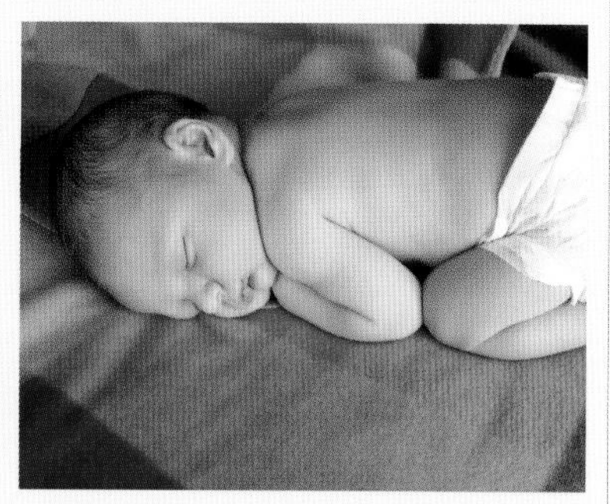

Los lactantes deben hacer al menos dos siestas diarias: una por la mañana y otra por la tarde. La hormona del crecimiento alcanza su mayor nivel de producción mientras los niños duermen. Recuerda otro truco: el balanceo del cochecito ayuda a los pequeños a dormir. Puede que si llevas a tu bebé a dar una vuelta, este permanezca dormido más tiempo de lo que lo haría en casa y así puedas posponer unos minutos la siguiente toma.

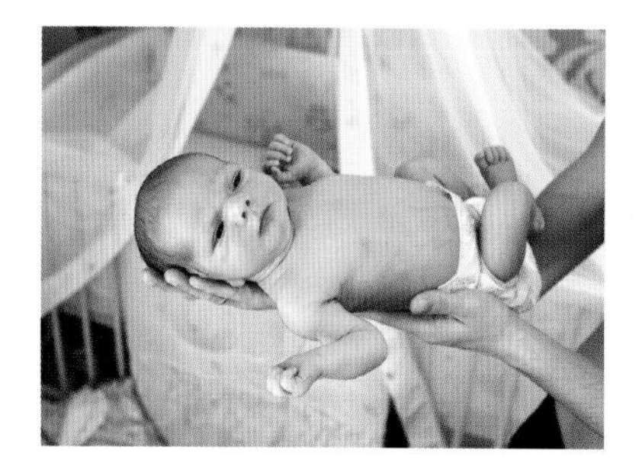

MIEDO A MALEDUCAR AL BEBÉ

Algunos adultos creen que acudir junto a un lactante en cuanto llora hará de él un niño maleducado. Nada más lejos de la realidad. Un bebé llora porque es la única manera de expresar sus necesidades. Puede que tenga hambre, que necesite un cambio de pañal, que tenga frío, que le duelan los oídos o simplemente que necesite compañía. En todo caso, debes acudir a su lado para que no se sienta abandonado.

Si llora es por algo, y si sus padres acuden junto a él cuando los llama para consolarle o poner remedio a sus males, el pequeño será un niño dichoso y más confiado. Tendrá la certeza de que sus padres, aunque se alejen, volverán en cuanto él les reclame. Así que cuando le acuesten para dormir, se quedará completamente tranquilo: confía en que papá o mamá regresarán a su lado.

Un niño al que se deja solo y sin consuelo, llorará siempre que sus padres se alejen de él, pues tendrá miedo a que no vuelvan más. El tiempo de los bebés no es como el de los adultos.

No debes obsesionarte con la idea de que acariciar, acompañar o dormir en brazos a un bebé es malcriarlo. Hay situaciones en las que ese pequeño consuelo materno o paterno es muy importante para el niño, que se siente protegido y querido. Intenta seguir unas rutinas, pero no te preocupes si en determinadas ocasiones hay un cambio de planes.

LA SIESTA MEJORA EL SUEÑO NOCTURNO

El sueño de los bebés por las noches mejora invariablemente si a lo largo del día duerme al menos dos siestas. El descanso regular los ayuda a recuperar fuerzas y es importante proporcionarles un horario para que cada día tengan ese tiempo de reparación.

Cada una de las siestas puede prolongarse de una a tres horas, eso dependerá de si es un niño dormilón o despierto. Lo que sí es clave es no saltárselas. Si le impedimos dormir por la tarde con el objetivo de que duerma más tiempo seguido por la noche, solo conseguirás estas desventajas:

- **Pasarás una tarde estresante**, porque el cansancio hará que el pequeño proteste constantemente.

- **La última toma la hará mal**, ya que en seguida se quedará dormido. Entonces sentirá hambre al poco tiempo y se despertará.

- **El exceso de cansancio impide conciliar un sueño profundo**, lo que puede llevarle a protestar y llamarte cada poco tiempo durante toda la noche.

Observa el lenguaje corporal de tu hijo: si se frota los ojos, lo más probable es que esté cansado y necesite dormir una siesta, así que trata en lo posible de ajustar tus horarios a sus necesidades.

LOS BENEFICIOS DE LA LUZ SOLAR

Los bebés deben ir vestidos de acuerdo a la temperatura, por lo que es un error abrigar demasiado a un niño solo porque va a salir a la calle a dar un paseo. Tampoco es buena idea poner el plástico protector de la silla solo porque haga frío o viento, es mejor dejarlo para la lluvia, el aire no dañará al bebé si va suficientemente abrigado.

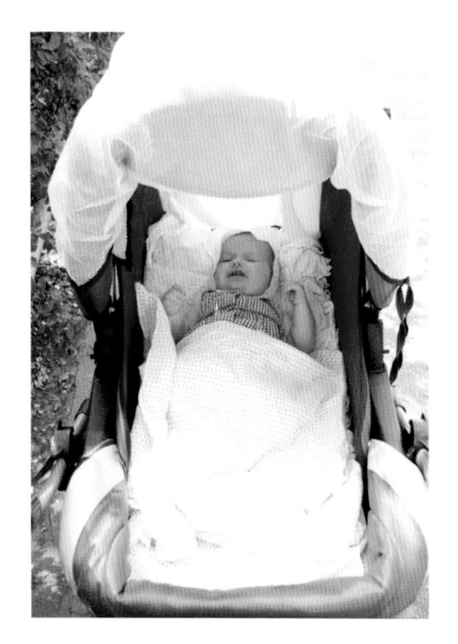

Es interesante sacar a diario al lactante a dar un paseo, aunque sea de media hora, si no se dispone de más tiempo. Está comprobado que el aire libre abre el apetito y favorece el sueño. Los estímulos del exterior son tantos y tan atractivos para un bebé que pondrá toda su atención en observarlos y por la noche dormirá a pierna suelta. Además, la madre caminará un rato.

Por otra parte, la luz solar desempeña un papel fundamental en el desarrollo del bebé. El sol favorece el sistema inmunológico y ayuda a sintetizar la vitamina D, encargada de favorecer el crecimiento infantil.

Por supuesto, el sol no debe dar directamente sobre la delicada piel de un bebé. ¿Qué es, por tanto, conveniente llevar a mano durante un paseo con un lactante?

SIEMPRE

- **El cambiador, toallitas húmedas y pañales.** Para poder cambiarlo en cualquier lugar.

- **Un biberón con agua.**

- **Ropa de recambio** por si se mancha o se moja para que no tenga frío ni se enferme.

- **Algún sonajero o juguete.** Para entretenerlo por si tiene una rabieta.

- Si usa **chupete, uno de recambio** por si el que lleva se cae y se ensucia y no podemos lavarlo.

EN VERANO

- **Una sábana** para protegerle las piernas si la sombrilla del cochecito no alcanza a dar sombra en todo su cuerpo.

- **Crema protectora** para todo el cuerpo. En especial daremos la crema en la cara, los brazos y las piernas aunque no haga sol.

- **Una toquilla fina** por si inesperadamente refresca.

EN INVIERNO

- **El saco de paseo** para abrigarle si hace frío.

- **Una manta** para envolverlo por si hay que sacarlo del cochecito para cualquier cosa.

HASTA CUÁNDO TOMA EL PECHO

Los niños pueden tomar el pecho durante el tiempo que su madre quiera. De hecho, los expertos consideran que sería conveniente que lo hicieran hasta los dos años de edad, en combinación con otros alimentos a partir de los seis meses. Se trata de una elección muy personal de la madre. A continuación te vamos a mostrar las posibilidades que tienes.

LA VUELTA AL TRABAJO

Muchas madres deciden dejar de dar de mamar a sus hijos cuando se les acaba el permiso de maternidad. Otras, en cambio, prefieren mantener el suministro de leche propia, y algunas se decantan por una solución mixta.

DEJAR EL PECHO

Si lo que deseas es sustituir la leche materna por biberones, estos son algunos consejos que deberías seguir para hacerlo con seguridad para ti y para tu hijo:

- **Habla con el pediatra.** Como especialista en la materia, sabrá aconsejarte sobre cómo realizar este cambio, qué leche es la más adecuada para tu bebé y qué cantidad debes ofrecerle.

- **El destete nunca se debe hacer bruscamente**, sino de forma progresiva. Quizá sea buena idea comenzar un mes antes de la fecha que tengas prevista para incorporarte al trabajo.

- **Cómo hacerlo:** Puedes empezar por cambiar una de las tomas a biberón durante una semana. Si todo va bien, introduce el biberón en una segunda toma y mantenla a lo largo de otra semana. Continúa con este método hasta que hayas sustituido todas las tomas.

Tanto si decides continuar dando el pecho como si optas por comenzar a alimentar a tu hijo con biberones, no debes sentirte culpable. Cada mamá toma una decisión valorando los beneficios que tendrá para su niño, pero también para sí misma o para la intendencia familiar, por lo tanto, tu decisión siempre será la más correcta.

MANTENER EL SUMINISTRO DE LECHE MATERNA

Es posible que quieras dar a tu hijo leche materna sin que ello te obligue a renunciar a tu trabajo. Para ello, tendrás que organizarte de manera que puedas extraer la leche de tus senos y conservarla de forma segura para que esté a disposición de la persona que vaya a cuidar de tu hijo mientras trabajas.

Pasos para extraer la leche

- Lávate las manos.

- Esteriliza el recipiente donde vayas a recoger la leche.

- Colócate de manera que la leche extraída se deposite en el recipiente que has preparado.

PECHO HASTA LOS DOS AÑOS

La Organización Mundial de la Salud (OMS) recomienda la lactancia materna durante los seis primeros meses de vida, y continuar con ella hasta los dos años en combinación con otros alimentos.

Pero no tienes por qué sentirte culpable si sustituyes la leche materna por el biberón. Tu hijo estará perfectamente cuidado y alimentado con las fórmulas en el mercado.

Por muy buenas intenciones que una madre tenga, no siempre es posible continuar la lactancia natural, sobre todo en madres trabajadoras o con otras responsabilidades familiares que pueden hacer complicadas las tomas a demanda. Si es tu caso, habrá quien te critique por abandonar la lactancia y si estás en el caso contrario, habrá quien no entienda que amamantes a un niño de casi dos años; ambas opciones son respetables.

- Aprieta los senos de forma manual o con un sacaleches (los hay manuales y eléctricos).

- Intenta extraer la leche a las horas a las que darías el pecho a tu hijo.

- Anota en cada recipiente de leche que conserves de qué hora es y trata de que tu bebé la ingiera en la toma que le correspondería a dicha hora. La composición de la leche cambia a lo largo del día, y así, si sigues esta pauta, el pequeño ingerirá la que le correspondería en cada momento.

- Guarda la leche en el frigorífico si el bebé se la va a tomar en las siguientes cinco horas. Si no, es mejor congelarla. En este último caso, para ofrecérsela al lactante hay que sacarla del congelador una hora antes de la toma, calentarla al baño María o en el microondas, y agitarla bien antes de dársela.

Si has decidido dar de mamar a tu hijo, recuerda que no es aconsejable completar su alimentación con biberones. Si empiezas a introducir biberones en su dieta, el lactante succionará menos y los pechos dejarán de generar la cantidad de leche que el niño necesita. Si nadie les demanda más leche, dejarán de producirla y tendrás que abandonar la lactancia.

Una solución mixta

Algunas madres se decantan por una solución con la que combinan leche artificial y leche materna. Para ello mantienen la primera y la última tetada del día, y el resto de las tomas las sustituyen por leche maternizada.

CRISIS DE LACTANCIA

Esta expresión se refiere a algunos momentos en los que ciertas madres temen no tener leche suficiente para su hijo. Sin embargo, es un error creer que no se es capaz de amamantar suficientemente a un bebé. Lo cierto es que si te preocupas de dar de mamar a tu hijo siempre que lo pida, tus senos generarán la cantidad de alimento que necesite. De hecho, pruebas científicas han constatado que cuando se mide la producción de leche de una madre que se queja por no tener suficiente, el resultado es que genera la misma cantidad de alimento que cuando creía que producía lo debido.

¿POR QUÉ SE TIENE ESA SENSACIÓN?

- Durante las primeras semanas había que utilizar empapador en los sujetadores porque la leche salía fácilmente, y de pronto esto desaparece.

- Los senos dejan de mostrarse tan henchidos e incluso dan la sensación de estar algo blandos, lo que genera la impresión de que ya no se llenan.

- El bebé acaba de mamar en menos tiempo que las primeras semanas, cuando solía estar con cada pecho más minutos.

- El número de deposiciones al día disminuye y en algunos casos, pasan varios días entre cada una de ellas.

FRUTA Y PRIMERAS PAPILLAS

Aunque la leche sigue siendo la base fundamental de su alimentación, entre los cuatro y seis meses de edad puedes dar a probar a tu bebé otros alimentos, como frutas, verduras y cereales. Desde luego, el orden en que debes comenzar a ofrecérselos lo marcará el pediatra. Sigue sus recomendaciones.

Normalmente, los primeros alimentos diferentes a la leche que prueba el bebé son los cereales, las frutas y las verduras. El orden y la variedad vendrán indicadas por tu pediatra, pero sí es importante tener en cuenta que al principio quizá sea mejor darle a probar los ingredientes uno por uno, para descartar posibles alergias a alguno de ellos.

LA FRUTA, UNA EXPERIENCIA DULCE Y AGRADABLE

A partir de los cuatro o cinco meses y, siempre que lo indique el pediatra, puedes ofrecer a tu bebé alguna papilla de fruta. Con la fruta lo que aportas a tu hijo es un suplemento extra de vitaminas, fibra y nutrientes. Además, le abres la puerta a nuevos aromas y texturas hasta ahora desconocidos para él.

Recuerda que un bebé solo sabe alimentarse mediante la succión. No tiene ni idea de cómo coger con los labios el alimento que hay en una cuchara, ponerlo en el interior de la boca y luego tragarlo. Es posible que si intentas enseñarle a comer cuando tiene hambre, la experiencia termine en desastre. El pequeño estará impaciente por comer, pero es incapaz de tragar lo que le das con la cuchara, que, además, no la asocia con la sensación de saciedad. Así que lo más seguro es que se irrite y llore desesperado reclamando su habitual toma de leche.

BUSCA EL MEJOR MOMENTO

Puedes intentar que pruebe una papilla de frutas cuando no tiene hambre. Eso no significa que se la des inmediatamente después de una toma de leche que lo ha dejado completamente satisfecho, porque quizá no ponga el menor interés. Inténtalo en un momento en que esté tranquilo y hazlo como si fuera un juego. Déjale que utilice sus manos. Aunque sea engorroso, el pequeño investiga con su boca y con las manos todo lo que integra su mundo.

Si ves que el sabor o la textura le desagradan, no insistas. Tiene toda la vida por delante para comer fruta. Posterga el experimento durante unos días y prueba a ofrecérsela más adelante. Quizá también resulte una experiencia fallida, pero seguro que en alguna de esas intentonas tu hijo acepta la fruta.

OTRO ELEMENTO: LOS CEREALES

También a partir de los cuatro meses, pero siempre siguiendo las indicaciones del pediatra, puedes introducir cereales en la alimentación del lactante. Los más recomendables son el maíz y el arroz, puesto que carecen de gluten.

Receta de una papilla de frutas

100 g de manzana
75 g de plátano
50 g de pera
100 g de zumo de naranja o mandarina

Escoge fruta bien madura para que sea fácil de digerir. Pélala a conciencia, elimina las pepitas si las tiene y trocéala. Seguidamente, tritúrala con un robot hasta que obtengas una papilla fina y homogénea. No añadas azúcar: la fruta ya tiene suficiente.

Receta de un puré de verduras

50 g de pechuga de pollo bien limpia
150 g de patata
150 g de zanahoria
Un puerro

Pela la patata y la zanahoria, y límpialas bien junto con el puerro. Trocea las verduras y el pollo, y ponlo todo a hervir lentamente en un cacito con agua durante 30 minutos (en olla rápida son cinco minutos). Después, tritúralo bien hasta que quede un puré homogéneo.

EL GLUTEN

Se trata de una sustancia que se encuentra en la semilla de muchos cereales, como el trigo, el centeno, la cebada y la avena. A las personas que tienen intolerancia al gluten, llamadas celiacas, les daña la mucosa del intestino delgado, lo que impide una digestión normal. Es desaconsejable dar cereales con gluten a los bebés para evitar que desarrollen intolerancia al mismo.

CEREALES CON GLUTEN

Los pediatras recomiendan esperar a que los niños tengan nueve meses para que empiecen a tomar cereales con gluten. Sigue siempre los consejos del médico antes que las indicaciones de los fabricantes. Así estarás absolutamente segura de que tu actuación es la correcta. Las galletas y el pan deben también esperar al momento más apropiado.

No obligues al bebé a comer cuando no quiere, basta con que pruebe un poco de alimento, poco a poco se irá acostumbrando y comerá más.

PREPARACIÓN

- Añade los cereales a la leche materna o a la fórmula artificial.
- Empieza por poner un cacito en 100 ml de leche.
- Puedes dárselos en el biberón o con cuchara. Prueba de las dos maneras, a ver cuál prefiere el niño.

Si el niño rechaza los cereales, no te obstines en que se los coma y déjale tranquilo durante unos días antes de volver a intentarlo.

LOS PURÉS

Los alimentos salados son otro reto para padres e hijos. Entre el quinto y el sexto mes es posible que el especialista te recomiende que incluyas en la dieta los purés de verduras con algo de carne de ternera o pollo.

INGREDIENTES PARA UN PURÉ

- Las verduras más indicadas para un estómago principiante son la zanahoria, la patata, el puerro y el calabacín.
- En los primeros purés utiliza carnes digestivas, como de ave y ternera.
- No añadas sal al puré para no dar trabajo a unos riñones aún jóvenes.
- Si te lo aconseja el pediatra, puedes poner unas gotas de aceite de oliva.

CÓMO USAR LA CUCHARA

Se ha dicho al principio de este capítulo que un bebé no sabe comer más que succionando. La cuchara es un artilugio desconocido para él. El mejor modo de darle alimento con la cuchara es aproximarla a sus labios para que el bebé pueda chupar. Si le metes la cuchara en la boca podría atragantarse. Si el bebé vuelve la cabeza, aprieta la boca o aparta la cuchara con la mano, es que no quiere más.

El cambio de la lactancia exclusiva a las papillas suele preocupar mucho a los padres. En primer lugar, se sienten inseguros de cómo reaccionará el niño, además, no saben cómo dárselo y por último, resulta desesperante ver que, si le cuesta comer cosas nuevas, termina ingiriendo mucho menos alimento del que tomaba antes, cuando solo tomaba leche. No conviene preocuparse demasiado por cambios que resultan tan naturales como el propio desarrollo y crecimiento del niño. Todos los bebés terminan comiendo si sus padres tienen un poco de constancia y paciencia, aunque sí es prudente seguir unas pautas. Por ejemplo, los purés y papillas deben estar bien pasados por la batidora, porque si hay grumos, pueden provocar rechazo, y hasta vómitos en el bebé. Es importante que no esté ni demasiado frío ni demasiado caliente. Debemos asumir que una temporada coma algo menos: su primera merienda con papilla quizá sea más una degustación, pero no hay que asustarse.

DE SIETE A DOCE MESES

Poco o nada puede recordarte este niño a ese bebé que hace seis meses entró en vuestras vidas. De los siete a los doce meses, tu hijo pasa por una etapa en la que evoluciona a pasos agigantados, adquiere habilidades y cambia por completo.

Vas a observar que es capaz de sentarse y empezará a gatear, a ponerse de pie e, incluso, los más ágiles, a dar sus primeros pasos. También comenzará a balbucear y hasta dirá alguna palabra. Y os hará reír con sus primeras trastadas.

La facilidad para acostarse tranquilo de un bebé a partir de los siete meses depende de cada individuo. Saber que sus padres acudirán cuando les necesite lleva un tiempo de aprendizaje, como iniciarse en el mundo de los purés, el pan y las galletas, así como en el manejo de la cuchara y el vaso. No pretendas hacerlo todo el primer día.

RUTINAS PARA CONCILIAR EL SUEÑO

Paciencia y un poco de mano izquierda son las armas que te ayudarán a lograr que tu hijo se quede tranquilo en su cuna cada noche y duerma feliz. Ten presente que lo que más le aterra al pequeño es que te marches sin saber si volverás con él o si le has abandonado para siempre. Respeta su miedo y dale apoyo emocional.

Durante el segundo semestre, los padres creen que sus hijos van a dormir muchas más horas por las noches de lo que lo hacían hasta ahora. Sin embargo, tampoco hay que esperar grandes cambios. Lo cierto es que seguramente dormirán tanto como lo han hecho hasta entonces: el bebé dormilón continuará siéndolo y el bebé despierto dormirá poco. Hasta tal punto esto es así que la media diaria de sueño de un bebé de esta edad es una horquilla de entre nueve y 18 horas.

LA PRIMERA NOVEDAD

A partir de los siete meses un niño es capaz de mantenerse despierto porque está nervioso o simplemente cuando quiere seguir en compañía de los adultos. Hasta entonces el pequeño si tenía sueño, se dormía profundamente, y lo único por lo que no dormía era porque tenía hambre, le dolía algo o estaba enfermo. Ahora ya no. Aunque se caiga de sueño, si no quiere dormir, no lo hará.

Una situación de ansiedad, además, tendrá al niño en tensión y le impedirá relajarse para dormir.

CAUSAS QUE PUEDEN INICIAR LOS PROBLEMAS DE SUEÑO

- El regreso a casa después de una estancia en el hospital.
- La vuelta al hogar tras unas vacaciones.
- El cambio de dormitorio.
- Un nuevo mobiliario en la habitación del bebé.
- Una disposición diferente de los muebles del dormitorio.

RITUALES

Son una forma de consuelo que puedes crear junto con tu hijo para infundirle seguridad. Lo ayudarán a tener la certeza de que al día siguiente todo volverá a repetirse igual. Podrían ser algo así:

 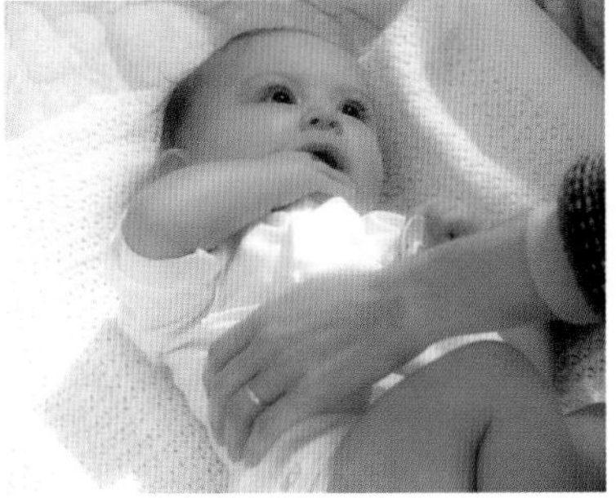 

- Después de cenar, lleva al pequeño a su habitación.

- Enciende una luz tenue.

- Da las buenas noches a dos muñecos o a alguna foto que haya en el dormitorio.

- Acuesta al bebé en la cuna.

- Cuéntale un cuento sin personajes truculentos.

- Dale un beso y las buenas noches.

Al día siguiente, en cuanto se despierte, regresa a su lado. Cada noche repite el mismo ritual. Con el paso de los días, el niño tendrá la certeza de que al igual que siempre encendéis la misma luz y os despedís de los mismos muñecos, todas las mañanas, cuando se despierta, acudes a él. Por lo tanto, dormirá sin ninguna preocupación.

EVITAR EL ESTRÉS ANTES DE ACOSTARLE

Unos saltos por el pasillo o unas cosquillas antes de ir a la cama son poco aconsejables. Tampoco es adecuada una discusión ni una música a todo volumen. Lo ideal es crear una atmósfera serena que calme al bebé y le introduzca paulatinamente en el momento de dormir. Actividades como contar cuentos o cantar una nana, son los remedios tradicionales y universales para dar sosiego y paz antes de acostarse.

EL CONSUELO DEL BEBÉ

Muchos niños adoptan determinadas pautas que les proporcionan consuelo al irse a la cama.

- **Movimientos rítmicos:** el niño los asocia con los momentos en que sus padres le acunaban. Pueden ser de lo más variado, como doblarse la oreja, darle vueltas a un mechón de pelo e incluso mover la cuna apoyando una mano o un pie en la pared.

LA CUNA ES PARA DORMIR

Si quieres que el niño asocie la cuna con la satisfacción del descanso, no la utilices más que para que duerma, tanto por las noches como durante la siesta.

Para evitar que el bebé asocie la cuna con una prisión, no le metas en ella para que juegue o cuando necesites dejarle unos minutos sin vigilancia. Para esos momentos es preferible ponerle en un parque, en una alfombra en el suelo lejos de objetos que puedan dañarle o en una silla de niños bien sujeto, tipo hamaca o trona.

- **Golpes en la cabeza:** por lo general, lo que les atrae es el ruido que producen al golpear la cabeza con la cuna. Si te da miedo que se haga daño, intenta colocar algún cartón delante de los barrotes, de manera que consiga seguir haciendo ruido, pero evitando que se lastime. Nunca pongas una almohada como protección, porque es peligroso.

ATENCIÓN: si el niño empieza a darse golpes en la cabeza también durante el día, consulta con el pediatra. Puede que intente llamar la atención o castigarse por alguna frustración, como que la madre se ha ido de viaje de trabajo o hay una niñera nueva en casa.

REPETIR COMPORTAMIENTOS

El pequeño debe saber que el momento de acostarse se aproxima y para ello lo mejor es atenerse diariamente a la misma rutina. Un baño, el pijama, la cena, un juego tranquilo, una canción y un beso.

Si el niño llora al quedarse solo, regresa a su lado y dile con voz suave que estás con él y le quieres, pero vuelve a salir de su cuarto. Si vuelve a llorar, repite la operación. Llegará un momento en el que ya no tendrás que entrar en la habitación y que únicamente con el sonido de tu voz desde fuera se tranquilice.

Nunca debemos introducir varios cambios a la vez. Si estamos educando al niño en unas rutinas para que aprenda a dormir toda la noche de un tirón, no es un buen momento para cambiarle de cuna, habitación o casa. Tampoco es el momento ideal para cambiar su alimentación o para quitarle el chupete, todas esas cosas podremos hacerlas más tarde, cuando el sueño esté establecido.

EL DESTETE PUEDE PRODUCIR ESTRÉS

Empezar a retirarle biberones al niño puede producirle nerviosismo, y quizá sea conveniente posponer el cambio en la alimentación durante unos días. Ningún bebé es igual a otro y cada uno impone un ritmo propio.

LA CAMA DE LOS PADRES

La cama de los mayores puede ser un buen lugar para jugar, hacerse cosquillas, darse masajes o leer cuentos. Pero si pretendes que duerma en su cuna, evita las excepciones acostándolo en ella de vez en cuando.

El cariño incondicional de mamá y papá en los momentos previos a irse a dormir aporta tranquilidad al bebé. No debemos confundir mimos y afecto con malas costumbres: apliquemos el sentido común y tendremos el justo medio.

SE RESISTE A IR A LA CAMA

Acostar a un bebé puede ser un momento gratificante o convertirse en la hora más temida. Antes de adoptar una actitud definitiva para ese trance, es oportuno conocer por qué un niño se niega a quedarse solo en su cuna y no permite que sus padres se alejen de su habitación.

Para un niño pequeño, chupar es uno de los hábitos para tranquilizarse más recurrentes. Aunque cuando al nacer aprendió a succionar como forma de alimentarse, la satisfacción que obtenía le lleva a asociar chupar con bienestar. Por eso, cuando es un poquito mayor, un chupete, un dedo gordo y hasta una mano son las herramientas de consuelo a las que generalmente acude si necesita calmarse.

EL TEMOR DE CADA NOCHE

La preocupación principal del bebé es que por nada del mundo desea separarse de sus padres. Y lo cierto es que dormir es una manera de separación. Por eso, en vez de dormirse tranquilamente cuando le dejas en la cuna, el pequeño llora y grita hasta que acudes a su lado. Entonces te recibe feliz, y si te sientas cerca de él, se queda contento y satisfecho. Sin embargo, en cuanto vuelves a alejarte de él, retoma el llanto apenado.

TÁCTICA PARA UNA SEPARACIÓN DULCE

Cuando llega la hora de irse a la cama, tienes que tener en cuenta que para él lo peor es la sensación de que sus padres le abandonan. Por esta razón, ese momento de separación debería ser lo más breve posible.

- **Una pésima idea:** tener al niño jugando en una sala de estar muy iluminada y con la televisión con el volumen alto, y de repente llevarle a su cuarto, acostarle en la cuna, darle un beso y marcharte.

  Sensación que obtiene: me abandonas y me quedo solo para siempre.

- **Una buena idea:** después de cenar y jugar con los adultos, le acompañas a su habitación y le acuestas en su cuna. Te quedas en el dormitorio unos minutos con cualquier excusa, como ordenar su ropa o sus juguetes. Luego sales, dejas la puerta abierta y aprovechas para hacer cosas cerca de su dormitorio.

Sensación que obtiene: estoy en la cuna, pero mi mamá está muy cerca de mí.

A PESAR DE TODO SIGUE LLORANDO

Después de poner en práctica todos los rituales que se te ocurran, el niño puede continuar llorando cada vez que te alejas. La situación comienza a ser desesperante y te planteas qué es lo que deberías hacer. Puedes elegir entre varias opciones:

- **Le dejas que llore hasta que caiga rendido.** El problema de esta opción es que el niño puede pasarse así horas, porque cree que nunca más volverás junto a él. Como lo más probable es que no puedas so-

Existen noches excepcionales en las que no podemos exigir al bebé que se comporte como siempre: si tiene fiebre habrá que mimarle más, pero no solo. Puede ocurrir cualquier reto evolutivo, como un cambio de domicilio, la presencia de amigos y familiares... que le hagan estar intranquilo y le impidan dormir.

portar sus gritos durante mucho tiempo, puede que llegue un momento en el que vayas a regañarle enfadada, lo que no hará más que acrecentar el estrés del pequeño y con él sus lamentos y tu nerviosismo.

- **Le sacas de la cuna** y le llevas a la sala de estar con el resto de la familia. Entonces consigues que se calme y vuelva a ser feliz. El problema surgirá cuando decidas acostarle de nuevo, porque lo más seguro es que se vuelva a repetir la desgarradora escena de pesar.

- **Regresas constantemente a su lado** hasta que vea que siempre que te llama acudes a él. No le tomes en brazos ni empieces algún juego para entretenerle unos minutos. Simplemente acércate para que te vea bien y háblale con cariño. Luego vuelve a marcharte, pero regresa en cuanto proteste.

Antes de optar por cualquiera de las opciones arriba indicadas, debes sopesar el esfuerzo que conlleva cada una de ellas y los resultados a largo plazo que deseas.

¿RUTINA SIEMPRE?

Cuando has conseguido que reine la armonía a la hora de acostarse siguiendo una serie de pautas, puede que insistas en imponerlas en cualquier ocasión. Sin embargo, has de ser lo suficientemente flexible ante imprevistos que pueden plantearse. No temas que por saltarte la rutina en una situación excepcional vayas a echar por tierra todos los logros alcanzados. El niño tiene memoria y si has sabido infundirle confianza en ti, en seguida recuperará la disciplina que había aprendido para acostarse en paz.

SITUACIONES EXCEPCIONALES

- **Está enfermo.** Es comprensible que si se encuentra mal, le duelen los oídos o tiene fiebre, no consiga conciliar el sueño. A los adultos también les pasa. Y si muchos adultos también reclaman la atención de los demás cuando están enfermos, cómo no va a hacerlo un bebé.

- **Ha habido un cambio en la familia.** Podría ocurrir que el padre o la madre han salido de viaje durante unos días. La rutina familiar ha cambiado por completo y algunos pequeños lo acusan más que otros. Ten paciencia e intenta seguir con el hábito de acudir al dormitorio del bebé siempre que te llame. Al faltar alguien de casa, el bebé vuelve a tener el sentimiento de abandono que tanto le aterroriza.

- **Hay jaleo en casa por una visita.** Si tienes invitados, es difícil mantener la calma y el silencio de cuando estáis vosotros solos. Sé transigente ese día y el bebé se excitará.

UN COMPAÑERO PARA SOÑAR

Como ya se ha dicho, el problema para conciliar el sueño sin la compañía de los adultos proviene del miedo al abandono. Un muñeco blando y suave con el que dormir puede procurar consuelo a un pequeño temeroso de la soledad. Ese peluche debe reunir todas las condiciones de seguridad: no contener pequeñas piezas, como ojos, botones, lazos, etc. que puedan despegarse o romperse y que el bebé pueda tragarse por error. A este compañero nocturno se lo llama también "figura de apego" y es un pequeño sustituto de sus padres cuando le da miedo quedarse solo, que puede usarse a diario en casa y también cuando se salga a dormir fuera.

Un ritual para la hora de dormir puede ser la música. Haz sonar melodías suaves cuando le pongas el pijama o cuando esté en la cuna mientras tú estás en su dormitorio ordenando algo o preparando la ropa del día siguiente.

EL PURÉ, UN SABOR NOVEDOSO

Tu bebé está dejando de ser un pequeñín al que únicamente alimentabas con leche para pasar a una de las etapas más divertidas de su desarrollo. Poco a poco le interesará lo que come el resto de la familia y querrá probarlo todo. Debes ir despacio para evitar intolerancias alimenticias, y si sigues las indicaciones del pediatra, superarás con facilidad esta nueva prueba definitiva del bebé que se convierte en niño.

EL APARATO DIGESTIVO MADURA

A partir del sexto mes, el aparato digestivo del lactante madura, lo que produce unas mejores digestiones y cada vez adquiere mayor facilidad para adaptarse a las novedades alimenticias que va a experimentar.

Tomar leche seguirá siendo fundamental para su crecimiento y todavía le proporcionará una gran satisfacción, pero poco a poco empezará a demostrar ilusión por los sólidos, con los que también disfrutará.

Es más común que, por ser más dulce, la papilla de frutas guste más a los niños que el puré de verduras, por eso es buena idea incluir hortalizas de sabor más dulzón, como las zanahorias, que, además, le dan un color más llamativo. Asimismo, ten en cuenta que aceptará mejor las novedades culinarias si se las vas ofreciendo de una en una.

LOS PURÉS

Seguramente tu hijo empezará a tomar purés de verduras a partir del sexto mes. Los ingredientes para prepararlos deben abarcar una amplia variedad de hortalizas y verduras, junto con carne de ternera o de pollo y una cucharada de aceite de oliva, si el pediatra lo considera oportuno.

Vegetales más apropiados

- Patata, zanahoria, calabacín, puerro, judías verdes, acelgas.

Vegetales que debemos evitar

- Coliflor, repollo, ajo, espárragos.

Asegúrate de que en las papillas y los purés no hay grumos ni fibras, que despiertan el reflejo de extrusión de los pequeños, lo que les impulsa a escupir el alimento.

EL PESCADO

A partir del noveno mes puedes empezar a ofrecer a tu pequeño pescado. Al principio dale pescado blanco, que tiene poca grasa, es muy digestivo y produce menos alergias que el azul. Este último es aconsejable posponerlo hasta los 18 meses.

Puedes empezar por sustituir un día a la semana la carne o el pollo de los purés por la misma cantidad de pescado (de 50 a 80 g). Si ves que le gusta y le sienta bien, puedes ofrecerle puré de pescado un par de días a la semana.

COMIDA HECHA EN CASA O PREPARADA

Ambas comidas tienen ventajas y son perfectamente saludables, así que utiliza las dos.

Ventajas si le preparas tú la comida

- Los sabores siempre varían, incluso aunque repitas una receta, porque sus ingredientes nunca son exactamente iguales ni están sazonados del mismo modo.

- Tu hijo se irá acostumbrando a la forma de cocinar y a los sabores de su familia.

Ventajas de los alimentos preparados

- Puedes estar segura de que la alimentación de tu pequeño será completa. Ningún fabricante acreditado arriesgaría su negocio con alimentos de mala calidad.

- Un día con prisa ahorras mucho tiempo.

LA CONSERVACIÓN DE LOS PURÉS

Para ahorrar tiempo y tener comida a mano en casos de urgencia, puedes organizarte de manera que prepares el doble o el triple de puré y envases una parte. Te durará semanas. La técnica es igual que la que se utiliza para conservar verduras y mermeladas caseras. Para ello necesitas tarros de cristal y tapas nuevas, que se pueden adquirir en las ferreterías.

MODO DE ENVASAR

- Prepara el puré como siempre.

- En un cazo bien limpio hierve con agua los tarros de cristal y sus tapas durante cinco minutos.

Es posible envasar al vacío los purés caseros con la misma fiabilidad que si se tratara de un tarro comprado. De este modo, el bebé se alimenta de forma natural con las ventajas del alimento ya preparado.

EL REFLEJO DE EXTRUSIÓN

Cuando a un lactante se le intenta dar cualquier alimento con cucharilla, el pequeño hace un movimiento con la boca para sacar la comida que se le ha proporcionado. Esta respuesta es lo que se conoce como reflejo de extrusión, y no significa que al bebé no le guste lo que se le ha dado. Se trata de un mecanismo de defensa para impedir que se ahogue y pueda expulsar con su lengua todo aquello que no sea líquido ni tenga la textura de la leche, que es el alimento que conoce.

Este reflejo desaparece entre los meses cuarto y sexto, aunque no es una regla fija y depende de cada niño. Solo entonces es capaz de llevar el alimento a la parte posterior de la cavidad bucal y deglutirlo. Por eso, con las primeras papillas hay que tener mucha paciencia y esperar a que aprenda.

Es importante respetar los tiempos en cuanto a alimentación infantil, porque introducir el gluten antes de cierta edad podría desencadenar una intolerancia severa que desembocara en enfermedad celiaca. Está demostrado que en los bebés que reciben lactancia materna incide menos esta enfermedad, de manera que es otro factor a favor de la lactancia.

- Saca los tarros de cristal y llénalos hasta el borde con el puré que quieras conservar. El puré, a su vez, debe estar muy caliente.

- Cierra los tarros con las tapas y ponlos a hervir al baño María durante 20 minutos.

- Déjalos enfriar sin sacarlos del agua. Después, ponlos boca abajo en la encimera o en una mesa de la cocina durante unas horas.

- Si la tapa está hundida hacia dentro y no escapa nada del tarro, es que se ha hecho bien el vacío.

- Pon una etiqueta en el exterior del frasco que indique el contenido del mismo y la fecha de preparación.

También puedes conservar los purés en el congelador. El único inconveniente de este método es que cuando los descongeles tendrás que volver a triturarlos, porque con la congelación adquieren una textura desagradable.

ALIMENTOS CON GLUTEN

Aunque ya se ha dicho que lo mejor es siempre seguir las instrucciones del especialista en líneas generales, a partir de los nueve meses puedes ofrecer a tu bebé cereales con gluten. Eso incluye una nueva variedad de cereales preparados para elaborar papillas, así como el pan y las galletas. De estas últimas, para empezar, las más adecuadas son las de la variedad María que son más naturales.

Recuerda darle solo un alimento nuevo cada vez. De este modo te asegurarás de que le sienta bien y no le provoca alergias. El descubrimiento del pan y las galletas suele ser muy placentero para los pequeños, a los que les encanta chupetear y ablandar esa comida nueva. Existen en las panaderías palitos de pan, llamados colines, más apropiados para los bebés que empiezan a comer pan; puedes llevar alguno en la bolsa de la sillita y dárselo cuando vayáis de paseo.

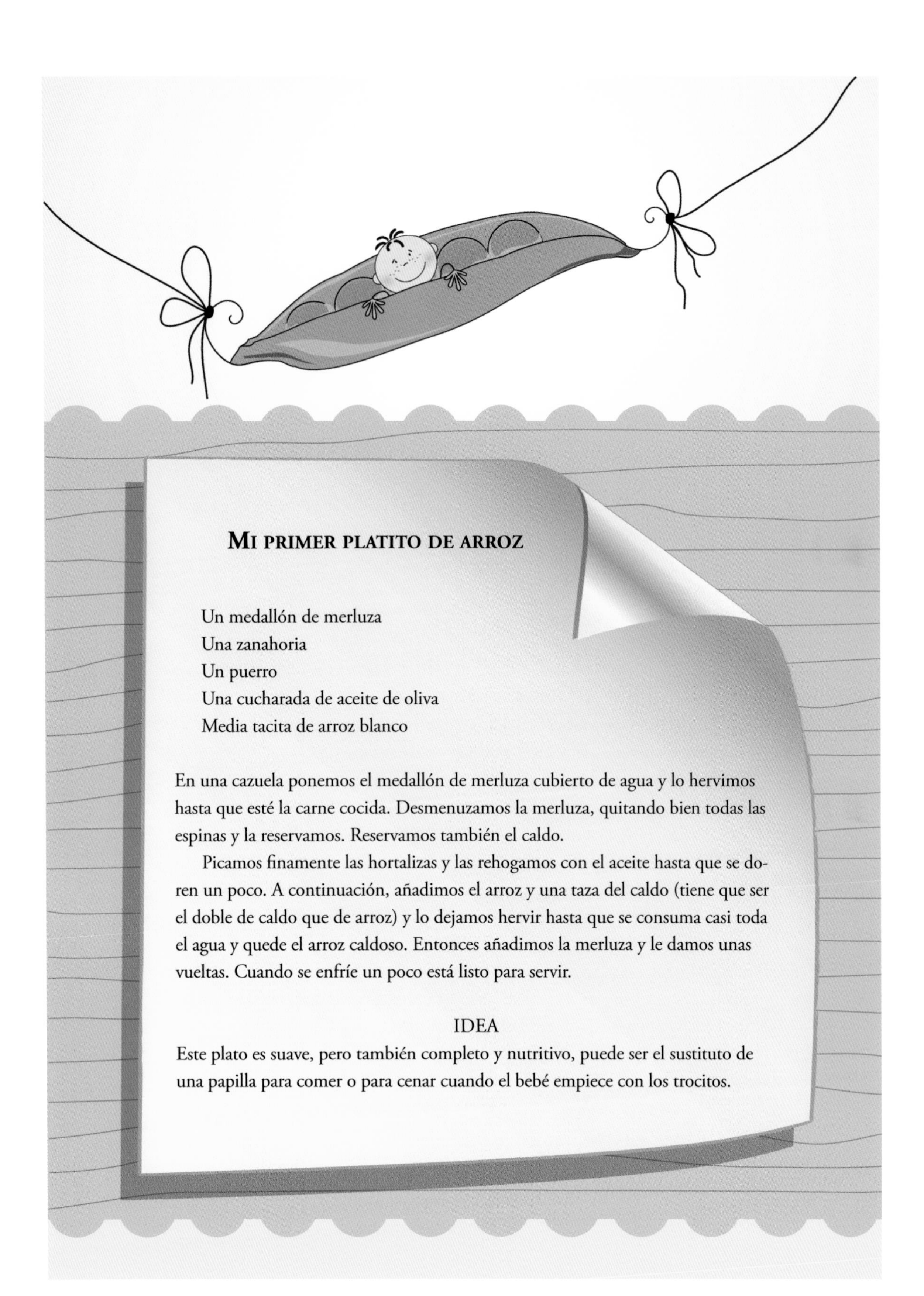

Mi primer platito de arroz

Un medallón de merluza
Una zanahoria
Un puerro
Una cucharada de aceite de oliva
Media tacita de arroz blanco

En una cazuela ponemos el medallón de merluza cubierto de agua y lo hervimos hasta que esté la carne cocida. Desmenuzamos la merluza, quitando bien todas las espinas y la reservamos. Reservamos también el caldo.

Picamos finamente las hortalizas y las rehogamos con el aceite hasta que se doren un poco. A continuación, añadimos el arroz y una taza del caldo (tiene que ser el doble de caldo que de arroz) y lo dejamos hervir hasta que se consuma casi toda el agua y quede el arroz caldoso. Entonces añadimos la merluza y le damos unas vueltas. Cuando se enfríe un poco está listo para servir.

IDEA

Este plato es suave, pero también completo y nutritivo, puede ser el sustituto de una papilla para comer o para cenar cuando el bebé empiece con los trocitos.

PURÉ DE MELOCOTÓN Y PLÁTANO

Un plátano
Un melocotón
Una naranja
Una galleta María

Las frutas deben estar lo más maduras posible, porque así estarán más dulces y le gustarán más. Debemos pelar el plátano y el melocotón y partirlos en trozos grandes que colocaremos en el vaso de la batidora. Haremos un zumo con una naranja y lo añadiremos para batir bien toda la mezcla. Si la papilla queda demasiado espesa, podemos hacer más zumo para mezclar de nuevo.

La galleta María puede triturarse con las frutas para dar algo más de consistencia y dulzor al puré, o colocarse encima a modo de adorno, aunque entonces habrá que partirla en trozos pequeños para que pueda comérsela.

IDEA

Si no tenemos naranjas, es posible hacer esta papilla con el zumo de unas mandarinas, pues cambia poco el sabor.

LA CUCHARA LE INTERESA

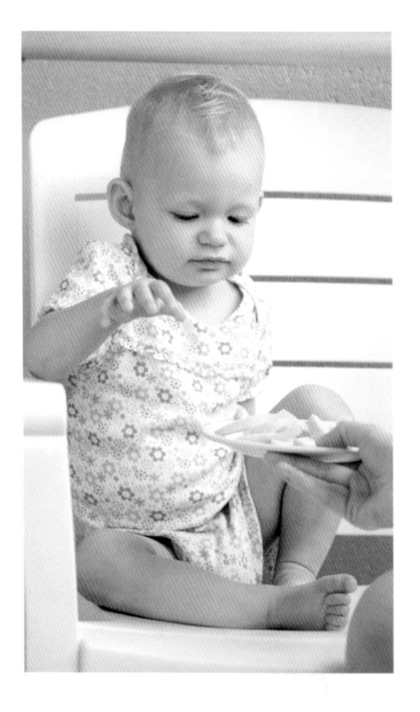

Poco a poco el bebé quiere hacer las cosas por sí mismo. Todo es un descubrimiento, y uno de los que están más a su alcance es el que tiene que ver con la alimentación. Deja de lado los prejuicios de la buena educación en la mesa y anima a tu hijo a comer por su cuenta. Además, cuanto antes empiece a practicar, antes desarrollará la habilidad para comer sin ayuda.

UNA EXPERIENCIA ENGORROSA, PERO MUY BENEFICIOSA Y DIVERTIDA

Hasta los seis u ocho meses de edad, la alimentación del bebé ha sido una actividad pasiva por parte del pequeño, que se limitaba a ingerir lo que le dabas. Sin embargo, llega un momento en que el pequeño muestra una actitud más activa y se le puede estimular a que quiera aprender a valerse por sí mismo.

Empieza por dejarle llevarse el alimento a la boca. Ármate de paciencia y quítale importancia a lo que pueda ensuciar.

El bebé puede comer en la cocina, en un espacio que sea fácil de limpiar después. Los cubiertos, platos y vasos irrompibles hechos específicamente para niños resultarán mucho más seguros y cómodos en sus primeros pasos. Además, es imprescindible un babero grande y, a ser posible, que aísle de la humedad, para evitar que la comida llegue a la ropa.

¿Y SI QUIERE USAR LOS DEDOS?

Es posible que al principio, en vez de interesarse por los cubiertos, lo que le atraiga sea meter los dedos en su plato y luego chupárselos. No creas que si se lo permites, se va a convertir en un niño maleducado. Ten en cuenta que está experimentando y chupar objetos es una fase más de su desarrollo cognitivo.

Déjale que introduzca los dedos en su plato y después se los lleve a la boca. Es una manera de que pruebe los nuevos alimentos de su dieta. Para enseñarle buenas maneras tienes tiempo de sobra.

LOS CUBIERTOS

En cuanto el pequeño quiera cogerla, ofrécele una cuchara, aunque al principio la utilice únicamente para jugar, golpear la silla o simplemente la muerda. A partir de los ocho meses comprobarás que en ocasiones consigue coger algo de alimento de su plato y llevárselo a la boca. En algunas semanas hasta le verás que a veces come algunas cucharadas por su cuenta, pero no esperes que pase de dos o tres ocasiones en las que logra el éxito total. Por no hablar de que manchará muchísimo, cosa que no debe importarte ahora.

Un truco: toma una segunda cuchara para ir alimentando a tu hijo y si te lo pide, cámbiasela por la de él. Tendrá la sensación de que juntos lo estáis pasando en grande.

Si tienes mucha prisa y no puedes esperar a que el bebé trate de comer y experimentar solo con los alimentos, puedes idear algún pequeño juego para darle tú de comer más rápido. Los clásicos entretenimientos de hacer volar la cuchara como si fuera un avión que aterriza en su boca suelen dar resultado y así evitarás una pelea a la hora de comer.

HUYE DE LAS OBLIGACIONES

Para librarse de discusiones sin sentido y que no llevan a ninguna parte, huye de las estrictas normas que debe observar un comensal educado y posponlas para cuando el niño sea algo mayor.

No obligues a tu hijo a...

- **Comer algo que rechace.** Solo conseguirás un disgusto para ambos y él recordará al día siguiente que lo que le has dado no lo quiere y seguirá rehusándolo.

- **Seguir el orden adecuado de los platos.** Da igual si el niño empieza a comer puré, lo deja para seguir con algo de fruta y luego retoma su puré tan tranquilo.

- **Mantenerse perfectamente limpio mientras come.** Es prácticamente imposible si le dejas que coma por sí mismo. En vez de un enfado monumental, es preferible armarse de paciencia y comprensión, y asumir que ese aprendizaje forma parte de su desarrollo; esta actitud lo ayudará.

SE NIEGA A COMER MÁS

Los niños pequeños a los que se les ofrece un buen suministro de leche y algunos sólidos extra no se mueren de hambre. Por eso, la preocupación de que un niño come poco puede ser exagerada. Su cuerpo regula la cantidad de alimento que necesita y no tienes por qué forzarle a que coma de más.

CÓMO SABES QUE TU HIJO SE ALIMENTA SUFICIENTEMENTE

- **Vigila su crecimiento.** Si aumenta correctamente en altura y peso, desecha preocupaciones.

- **Observa su comportamiento.** Si se muestra activo y contento, su alimentación es correcta.

- **Pregunta cualquier duda que te surja al pediatra.** Te indicará si todo va bien o hay que hacer alguna modificación.

ÚTILES PARA QUE EMPIECE A COMER SOLO

SILLA

Ahora que tu hijo ya sujeta la cabeza solo, te resultará más cómoda una silla para comer. Así el pequeño estará a sus anchas y tú tendrás más facilidad para ayudarlo.

GUSTOS PROPIOS

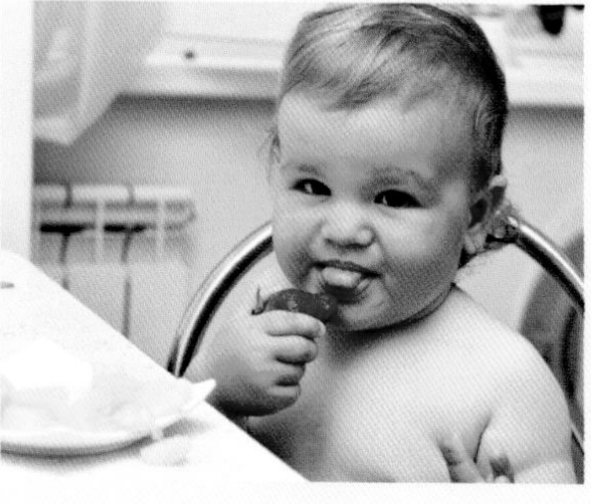

Los niños pequeños tienen unas ideas sobre la combinación de sabores que pueden chocar con los usos y costumbres con los que estás familiarizada. ¿Qué tiene de perjudicial que añada miguitas de pan a la papilla de frutas? ¿Y qué pasa por chupar un trozo de plátano entre cucharada y cucharada de puré de verduras? Absolutamente nada. Así que dale libertad para que haga sus propias creaciones culinarias, porque no le van a estropear el paladar.

COMER CON ALEGRÍA

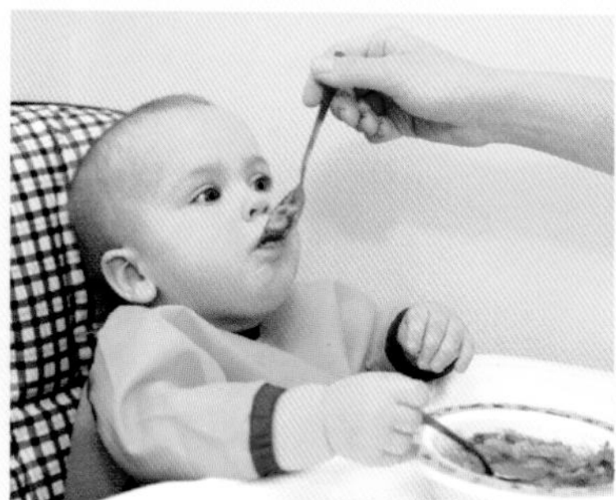

Comer debería ser una actividad gratificante. Impide que tu bebé sienta que es una obligación para que no se cree una actitud hostil ante la comida.

Si en la familia se cocina algo que al bebé le guste y es adecuado para su edad, puedes dárselo, pero sazónalo después de apartar la porción del pequeño.

- Elige una silla en la que el niño esté seguro, mejor si tiene correas para sujetarle.

- Puede ser de las que se anclan directamente a la mesa de los adultos. Este tipo es ideal para lugares con poco espacio e incluso para llevarla fuera de casa a un restaurante o a casa de unos amigos.

- También las hay con la misma altura que las mesas de los adultos y algunas, además, llevan incorporada una bandeja. Aunque las de tela

pueden ser muy bonitas, inclínate por una de plástico, mucho más práctica a la hora de mantenerla limpia.

Puede ocurrir que, pese al entusiasmo con que el bebé acometa la tarea de empezar a comer solo, se frustre y se enfade cuando vea que no es eficaz y que la mayor parte de la comida se le cae y no puede comer todo lo rápido que desearía. En ese punto los padres pueden ayudarlo de muchas maneras, tratando de evitar su frustración y animándole a seguir.

BABEROS

- Los de plástico rígido con un borde replegado en la parte inferior son los que más fácilmente se lavan e impiden que caiga comida al suelo.

- Los de tela son más bonitos, pero hay que lavarlos constantemente. Quizá para salir de casa sean más prácticos porque ocupan poco. Los que tienen la parte de atrás plastificada impiden que la humedad pase a la ropa del niño. Pero no le dejes solo con uno de estos baberos puesto: podría dañarse con los lazos e incluso sofocarse si se lo echa sobre la cara.

VAJILLA

- **Platos:** son aconsejables los de plástico para que no se rompan si se caen. Los hay con un depósito interior que si se llena de agua caliente, mantiene la temperatura de los alimentos.

- **Vasos y tazas:** los mejores también son de plástico rígido. Algunos llevan tapa con una abertura por la cual el pequeño puede beber con la tranquilidad de no mojarse. Si tienen asas a los lados, le será más sencillo agarrarlos.

- **Cubiertos:** cuida de que no tengan bordes cortantes. Los más apropiados para iniciarse en el arte del buen comer son los de plástico, aunque hay algunos de metal cuidadosamente fabricados para los más pequeños. Es importante que pesen poco.

En general, existe una amplísima gama de utensilios para la comida de los bebés y además de tener una o dos vajillas completas en casa, es útil hacerse con un pequeño termo para transportar un tarrito de puré, así como una cuchara con funda (por ejemplo, una pequeña caja de plástico) y vasos, boles o tazones con tapa, todos ellos muy útiles a la hora de comer fuera de casa.

EL DESTETE

Sustituir paulatinamente la alimentación exclusiva con leche y aprender a alimentarse como los adultos es un proceso que requiere flexibilidad en la actitud de los padres para que el pequeño desee aprender a comer solo.

EL INICIO

A partir de los seis meses de edad, los bebés pueden dejar una de las tomas de leche que hacían hasta ahora para sustituirla por otros alimentos. Quizá la mejor toma para sustituir sea la del mediodía, cuando le das el puré y después, si el pequeño quiere, una taza de leche. Este cambio hay que hacerlo con tacto. Las imposiciones rígidas pueden desembocar en que el niño se niegue a beber leche si se la ofreces en taza.

El amamantamiento no solo proporciona alimento al bebé; además, es un momento de intimidad y afecto con su madre, por lo que su destete puede costarle algo más de tiempo, ya que no solo renuncia a la leche, sino a la atención y el cariño maternos. El cambio debe ser paulatino y flexible, permitiendo también que el cuerpo de la madre se acostumbre a las nuevas circunstancias.

DESTETE DE LOS BEBÉS AMAMANTADOS

Madre e hijo sois los únicos que podéis decidir cuándo y cómo iniciar el destete. Algunos bebés reclaman una taza con leche incluso antes de que sus madres empiecen a pensar en que es hora de ir dejando el pecho.

PASOS ACONSEJADOS

- Cuando decidas que ha llegado el momento de iniciar el destete, planteate hacerlo de manera gradual. Si lo haces de repente, te toparás con algunos inconvenientes:

    - El niño sentirá que le rechazas al no permitirle mamar.

    - Estarás muy incómoda con el pecho hinchado.

- Empieza por la toma del mediodía. Sustitúyela por un puré y después dale a tu pequeño una taza con leche. Al recibir menos estimulación, los senos generarán menos leche.

- En las otras comidas ofrece a tu bebé alimentos sólidos, además de leche en taza. Al finalizar permítele mamar. Como poco a poco succionará menos cantidad porque tendrá menos hambre, tus pechos disminuirán la producción de leche paulatinamente.

- Tras unas semanas, lo más probable es que el bebé se limite a una mínima toma de consuelo por la mañana y otra al acostarse.

DESTETE DE LOS BEBÉS QUE TOMAN BIBERÓN

Como en la alimentación de los bebés amamantados, el mejor método para ir reduciendo el número de biberones debe ser ante todo una solución flexible.

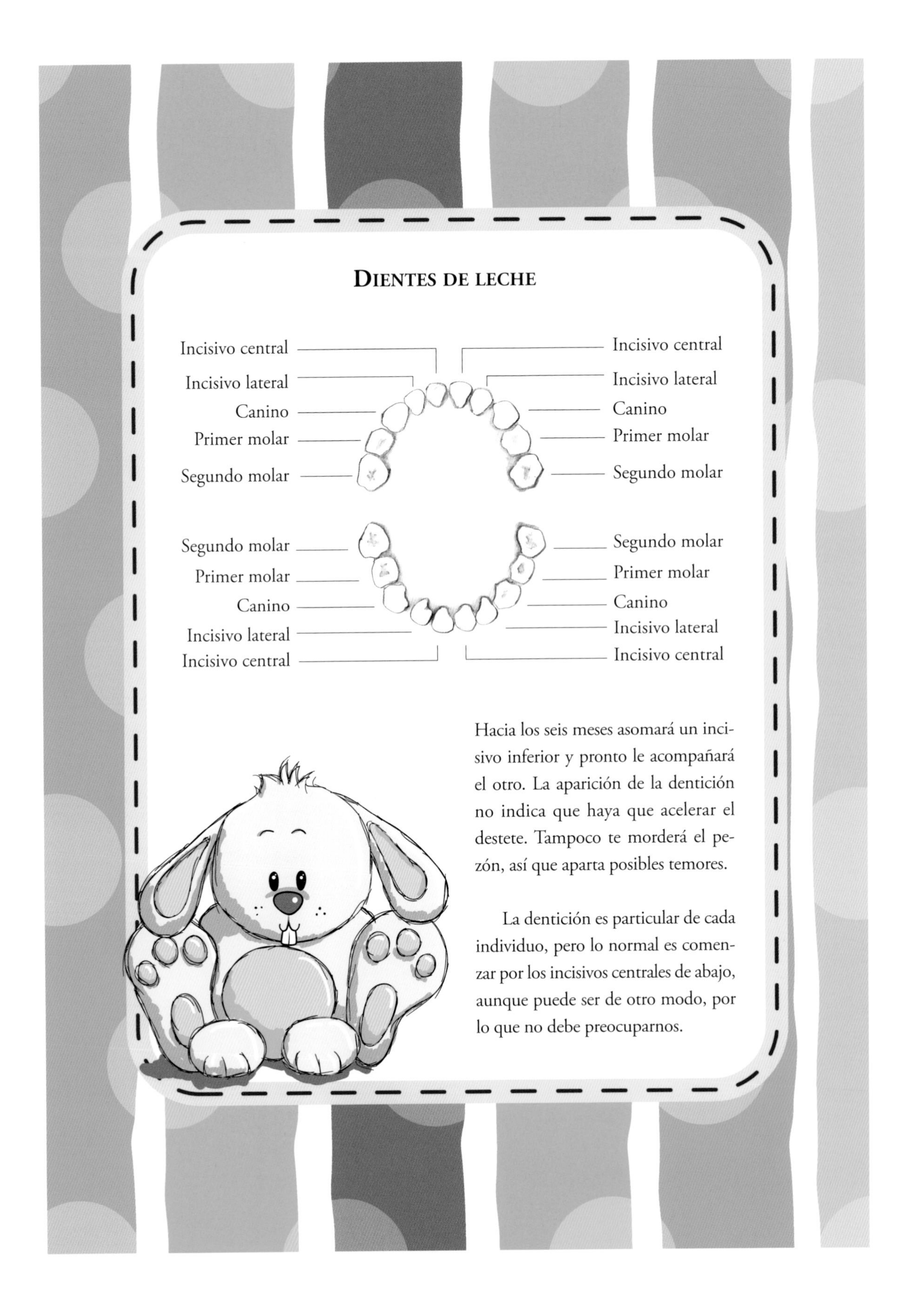

Dientes de leche

Hacia los seis meses asomará un incisivo inferior y pronto le acompañará el otro. La aparición de la dentición no indica que haya que acelerar el destete. Tampoco te morderá el pezón, así que aparta posibles temores.

La dentición es particular de cada individuo, pero lo normal es comenzar por los incisivos centrales de abajo, aunque puede ser de otro modo, por lo que no debe preocuparnos.

Que hayan aparecido o no los dientes no es estrictamente necesario para que el bebé abandone la leche y comience a comer. Los primeros alimentos son papillas y purés, de manera que podrá comerlos igual.

Algunos niños se resisten a abandonar el biberón y pueden sufrir caries en los dientes de leche si lo mordisquean constantemente. Dejar el biberón es olvidarse de un ritual que le da consuelo y tranquilidad, de manera que hay que ayudarlo doblando los mimos, besos y abrazos. Piensa que es bueno para su evolución y no le dejes solo con ese desafío.

Pasos aconsejados

- Comienza por acostumbrar al niño a que la leche, el zumo y el agua pueden tomarse en taza.

- Suprime el biberón del mediodía y después del puré dale una taza de leche.

- En cuanto te sea posible, abandona también el biberón del desayuno. Si le das una papilla de cereales, ofrécele después leche en una taza.

- El último biberón que debes dejar es el de la noche, pero en cuanto veas que duerme por las noches perfectamente, trata de suprimirlo definitivamente.

- En el biberón ofrécele únicamente leche. El agua y el zumo dáselos siempre en taza.

La toma de la noche es la última que debe eliminarse para no interferir en los rituales establecidos antes de acostarse. Seguramente alrededor del año el mismo niño dejará esta costumbre.

CÓMO EVITAR QUE SE PASEE CON EL BIBERÓN EN LA MANO

Es posible que no te importe que el niño se lleve el biberón por toda la casa. Pero si no quieres que lo haga, lo ideal es que le obligues a estar sentado en tus rodillas siempre que beba del biberón. Cuando quiera irse porque su impulso a deambular es irresistible, oblígale a que deje el biberón a tu lado; si quiere más, tendrá que sentarse contigo.

Trata de evitar las excepciones. Si en una sola ocasión le dejas pasear por la casa llevando el biberón consigo, insistirá en repetir la operación al día siguiente. Y entonces será muy difícil convencerle de que no debe hacerlo.

YA NO QUIERE COMER

Quizá con los cambios que empiezas a introducir en su alimentación el bebé ya no coma tan a gusto como cuando únicamente tomaba leche. Y es posible incluso que empiece a rechazar la comida.

Ante el más mínimo indicio de que una comida no le gusta, no le obligues por la fuerza a que la tome. Es preferible que pruebe otra.

Lo más importante es que veas la comida como un momento para ayudar a tu hijo a hacer algo nuevo y no como la ocasión de alimentarle adecuadamente.

Consejos

- Sienta a tu hijo delante del plato con la comida que le hayas preparado. Su primer instinto será meter las manos en el plato y luego chupárselas. Déjale hacerlo.

- Cuando veas que se chupa los dedos varias veces, te darás cuenta de que admite el sabor de la comida. Entonces intenta darle tú algo de alimento con la cuchara.

- Al niño le llamará la atención la cuchara y querrá cogerla. Dásela y coge tú otra. ¿Te la pide también? Pues déjasela en la otra mano y coge una tercera.

- Si intenta llenar su cuchara, pero no le sale, llena la tuya y déjasela para que él mismo se la acerque a la boca.

Todos los padres desean que sus hijos coman de todo y en buena cantidad, pero el aprendizaje en cuestiones de alimentación es un camino largo y complejo. La clave es que cuanto más disfrute el bebé con la comida, menos problemas tendrá en el futuro con la alimentación, por tanto, haz del momento de comer un rato agradable y divertido pensando en su futuro.

AMPLIAR LA DIETA

El huevo

Para que el bebé pruebe el huevo hay que esperar hasta los nueve meses de edad. Se empieza con un cuarto de yema en el puré un día a la semana y posteriormente, se amplía a dos días cada semana. Cuando compruebes que le sienta bien, puedes añadir al puré media yema.

Para darle huevo entero hay que esperar al año de edad. La clara contiene una proteína denominada ovoalbúmina que puede causar alergia.

El yogur

A partir de los diez meses puedes dar a tu hijo yogur. Antes de los nueve meses no conviene porque las proteínas lácteas pueden causar alergia. Escoge uno natural y dáselo sin azúcar. A la gran mayoría de los niños les encanta. Tampoco es necesario que sean especiales para bebés. Un yogur natural de una buena marca es igual de sano y su aparato digestivo lo tolerará.

TRUCOS PARA INTRODUCIR NUEVOS ALIMENTOS

Para incluir alimentos nuevos en la dieta del bebé, debes hacerlo de uno en uno y esperar unos días su reacción.

Mientras preparas la comida, dale un trozo de pan. Así utiliza las manos y aplaca el hambre.

A veces les resulta difícil acostumbrarse a sabores nuevos por primera vez, por lo que puede empezar a probarlos junto a algo que ya conoce y le gusta: por ejemplo, dale una cucharadita de algo nuevo mientras come un yogur.

Es suficiente con que vaya saboreando lo más básico, pues la variedad total de alimentos se le da pasado el año.

Ponle una pequeña cantidad y si se la termina y quiere más, ponle más. Felicítale cada vez que termine el plato.

Sopa de lluvia

Aceite de oliva virgen
Un esqueleto de pollo
Media cebolla
Un puerro
Una zanahoria
Una patata
30 g de pasta de lluvia

Calentamos un litro de agua con un chorrito de aceite de oliva en una cazuela hasta que rompa a hervir. Ponemos dentro el pollo y las hortalizas (peladas, lavadas y cortadas en varios trozos) y dejamos que cueza a fuego lento durante hora y media (en una olla rápida se hace en 10 o 15 minutos). Colamos el caldo por separado y lo reservamos. Si lo dejamos enfriar, se formará una pequeña película en la superficie que es la grasa, por lo que podremos retirarla con facilidad, dejando el caldo libre de grasa sobrante.

El caldo obtenido se pone a hervir y se añade la pasta en forma de lluvia dejándola hervir durante ocho minutos. Hay que dejar enfriarse la sopa un rato para que el bebé no se queme.

IDEA

Existen multitud de variedades de pasta para hacer más divertida la sopa a los niños. La pasta de lluvia tiene la ventaja de ser muy fina, por lo que resulta muy fácil de comer, pero los niños más mayorcitos disfrutarán igualmente de la sopa de fideos y de la sopa de letras.

Huevos revueltos con queso

2 cucharadas de aceite de oliva virgen
Un huevo
50 g de queso rallado

En un plato batimos un huevo. Primero batiremos la clara y después integraremos la yema, porque de este modo, queda más esponjoso. A continuación, añadimos el queso rallado y lo batimos todo bien.

En una sartén, calentamos el aceite y echamos la mezcla de huevo y queso revolviéndolo todo con una cuchara de madera, de manera que vaya volviéndose de un color más o menos amarillento y quede cuajado en pequeños trocitos.

Se sirve caliente, pero con cuidado para que no queme.

IDEA

Si tenemos un poco de salsa de tomate casera ya preparada, es muy buena idea añadirla a este revuelto, así resulta una cena tan sencilla como deliciosa.

La mayor parte de los bebés comienzan a caminar cumplido el primer año. Entonces se inicia una etapa de gran actividad en la que el niño explora todo con curiosidad, por lo que deberás prestar atención a su seguridad en todo momento.

EL PRIMER AÑO

El bebé ahora encandila a todos porque ha aprendido a tirar besitos, a decir hola y adiós, entiende lo que le decimos y empieza a hablar, muchas veces con una lengua de trapo bastante divertida. Está en su mejor momento: disfrutémoslo.

EL SUEÑO A PARTIR DE LOS DOCE MESES

Vuestro hijo ha cumplido ya un año y cada vez es más independiente. Eso significa que habrá muchas ocasiones en que, aunque necesite descansar, las distracciones de su entorno le impedirán hacerlo. Por eso los padres debéis plantearos cómo queréis organizaros y a partir de ahí adoptar las medidas más prácticas posible.

SIN HORARIOS

Quizá seáis unos padres a los que no les importa carecer de horarios y preferís que el pequeño se adapte a vuestras costumbres. Si tenéis una cena con los amigos, os llevaréis al niño con vosotros; si os quedáis a ver la televisión hasta tarde, os acompañará; si durante el día quiere echarse una siesta prolongada, almorzará muy tarde y ya no volverá a acostarse hasta la noche.

Esta opción es tan buena como otra cualquiera a la hora de organizar la vida familiar, y al niño no le perjudicará. Sin embargo, tiene sus inconvenientes, porque no podréis imponerle un horario de repente un día que os haga falta.

El bebé tiene cada vez más independencia y desarrolla capacidades nuevas. Empieza a andar y a hablar, quiere aprender a comer por sí mismo, pero también puede seguir desvelándose varias veces por las noches aunque no tenga hambre. Usa tu ventaja: ahora entiende lo que dices y puedes convencerle.

HÁBITOS REGULARES

Es sencillo acostumbrar a un niño a un horario para acostarse, comer y echarse la siesta. Para ello simplemente hay que imponerse una serie de rutinas diarias, aunque tengan el inconveniente de que deben seguirse de manera constante y no haciendo excepciones un día sí y otro también.

La ventaja de la regularidad es que la organización de los horarios familiares resulta mucho más sencilla y los padres saben cuándo van a contar con tiempo cuando lo necesiten.

POR QUÉ SE CANSA TANTO

La actividad de un niño de esta edad, en la que está aprendiendo a controlar su cuerpo y a andar, es agotadora. Podría compararse con la de un adulto que se está iniciando en un deporte, pero que en vez de acudir a clase un día o dos a la semana, practica todos los días.

El desgaste físico es tremendo: se cae, se golpea, trata de ponerse en pie, vuelve a caerse, se levanta, y si no puede más, se traslada gateando. Además, intenta alcanzar objetos que le resultan lejanos, mover las manos y los brazos adecuadamente a sus deseos, trata de aprender a comer, juega, pone atención a lo que ve y escucha... Desde luego, el cansancio físico e intelectual es abrumador.

CUÁNTAS HORAS NECESITA DORMIR

Una vez más hay que decir que depende de cada niño, pero la media se ajusta al siguiente patrón:

EDAD	SUEÑO NOCTURNO	SIESTA MATINAL	SIESTA DE LA TARDE
12 meses	Entre 10 y 12 horas	De 30 minutos a 1,30 horas	De 1 a 3 horas

A esta edad lo cierto es que apenas variará sus necesidades de sueño, que como mucho cuando cumpla dos años habrán disminuido una hora. Así que un bebé dormilón seguirá siéndolo y un bebé despierto continuará durmiendo poco.

Algunos bebés recuperan la energía perdida nada más despertarse y se levantan alegres y pletóricos, deseando jugar, caminar y explorar todo lo que les rodea. Pero otros se despiertan muy despacio, prefieren remolonear un rato en la cuna y a veces incluso se enfadan o permanecen un rato irritados. Demos tiempo a cada bebé para adaptarse.

LAS RUTINAS ANTES DE ACOSTARSE

Seguramente estaréis siguiendo unas rutinas desde hace meses para que el niño reconozca que ha llegado la noche y es momento de dormir. Ahora que ya es un poco mayor, es posible que tengáis que cambiar algunas de ellas para que no se aburra, pero adaptándoos siempre a sus gustos y preferencias. Recordad que la hora de acostarse debe ser lo más agradable posible.

DESPERTARLE CON TACTO

Mientras que lo habitual es que por la mañana sea el propio bebé el que se despierte alegre y descansado, es posible que el despertar de las siestas sea complicado. A la mayoría le cuesta regresar a la actividad. Por ello es recomendable despertarle de las siestas con tacto y tiempo suficiente.

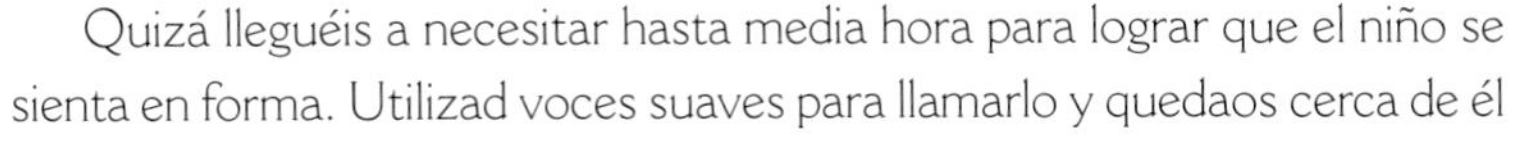

Quizá lleguéis a necesitar hasta media hora para lograr que el niño se sienta en forma. Utilizad voces suaves para llamarlo y quedaos cerca de él

Entre las rutinas antes de irse a dormir por la noche puedes incluir la de dar un masaje al bebé después del baño con una pelotita. Le resultará muy agradable y le preparará para relajar su cuerpo y afrontar toda la noche de un tirón.

Posible patrón para organizar horarios

Los horarios que proponemos son orientativos y no rígidos, pero sí es importante que todos los días el ritmo sea similar y se respete el orden de comidas y siestas. De este modo, el bebé se sentirá tranquilo y feliz, sabiendo que su rutina le acompaña para darle seguridad. Fomentar rutinas en el bebé lo ayudará a aprender normas y valores en un futuro. En los niños de un año se deben desarrollar los hábitos de sueño, alimentación y juego.

Actividades	Horas
Levantarse	De 6 a 7 horas
Desayuno	De 7 a 8 horas
Siesta matinal	De 10 a 11:30 horas
Comida	De 13 a 14 horas

Actividades	Horas
Segunda siesta	De 14:30 a 17:30 horas
Merienda	De 17:30 a 18 horas
Cena	De 20:00 a 20:30 horas
Acostarse	De 20:30 a 21:30 horas

DESCANSAR DESPIERTO

Para dar un respiro al niño sin necesidad de llevarle a dormir, podéis invitarle a realizar actividades que le mantengan relajado. Sentaos con él y proponedle ocupaciones que atraigan su atención, pero que consigan tranquilizarle: colorear, ver fotografías de la familia, hojear una revista ilustrada, abrir un libro de animales. Leer cuentos es siempre una actividad que estimula de forma tranquila, igual que escuchar un poco de música o cantar con él. Prueba esos medios de comunicación y te sorprenderá.

mientras se despereza. Si le dejáis dormir hasta el último momento y le vestís con prisa porque tenéis que salir, solo conseguiréis que proteste.

LA ETAPA DESCONCERTANTE

En ocasiones ocurre que entre los 12 y los 24 meses dos siestas son demasiadas para el niño, pero con una se encuentra muy cansado. Puede que se niegue a echarse después del desayuno. En ese caso, cuando llega la hora de comer estará tan fatigado que se quedará dormido y no tomará el almuerzo hasta la tarde. Además, habrá que posponer la merienda y a la hora de cenar no podrá con su alma.

Quizá os cueste adaptaros a ese desconcierto, pero con paciencia en unos días daréis con la clave de comportamiento que le viene bien a vuestro hijo. Podéis probar, por ejemplo, con adelantar la comida y la siesta de la tarde.

Lo bueno es que esta es una etapa pasajera y para cuando cumpla 24 meses casi seguro que le bastará con una única siesta: la de la tarde.

Los días son demasiado largos para un bebé de 12 meses. Necesita descansar bien para la dura actividad que desarrolla.

No dejéis en su cuna juguetes demasiado grandes. Podría usarlos como escalón, perder el equilibrio y caerse al suelo.

Cuando comienzan a suprimir la siesta matutina, muchos bebés pasan una etapa difícil en la que necesitan dormir algo más, pero no quieren hacerlo. Hay que tratar de adaptar los horarios a sus nuevas necesidades hasta que el pequeño se acostumbre y redoblar la paciencia cuando se muestre irritado por cansancio o se duerma a deshora.

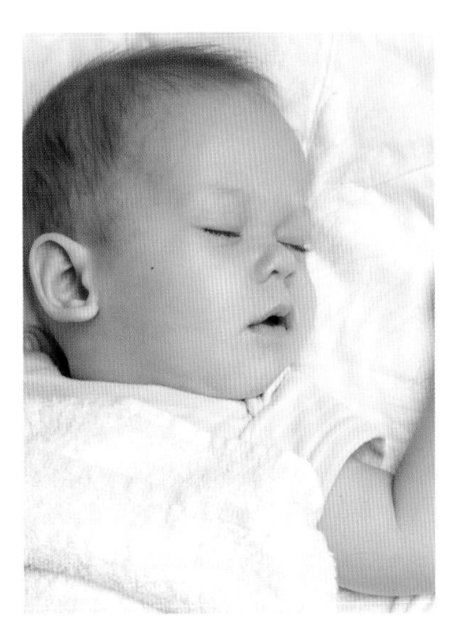

Algunos niños presentan dificultades relacionadas con el sueño. Es posible que a tu bebé le cueste dormirse solo o que inicie muy bien el sueño, pero luego se despierte durante la noche o tenga un sueño tan superficial que cualquier pequeño ruido o molestia le despierte. Un 10% de los niños de un año no duerme de un tirón toda la noche, así que ten paciencia.

POR LA NOCHE SE DESVELA

Aunque es verdad que los bebés pueden dormir de un tirón toda la noche, también pueden despertarse más de una vez cada noche. A la hora de escoger cómo actuar, los padres primero tienen que conocer qué causas hay detrás de este comportamiento para poder buscar la solución más práctica.

¿POR QUÉ SE DESPIERTA?

Los niños son capaces de dormir 12 horas seguidas, pero también es posible que en una noche se despierten una o varias veces. Sin embargo, antes de convenceros de que vuestro hijo se está convirtiendo en un malcriado, deberíais tratar de averiguar por qué lo hace. Puede haber multitud de causas que le desvelen, como les ocurre a los adultos. La diferencia es que no saben explicar qué les molesta o les preocupa.

CAUSAS EXTERNAS QUE DESVELAN A UN NIÑO

Es razonable que un niño se despierte por molestias que proceden del exterior. Intenta saber cuál ha sido la causa para ponerle remedio.

- **El tráfico, el vuelo de los aviones o los ruidos del tren.**
  Si os es posible, cambiad al niño a una habitación menos ruidosa. Si no, quizá sea buena idea instalar doble ventana. A veces con un cortinón grueso basta para mitigar los sonidos.

- **Ruido de pasos cercanos a su dormitorio.**
  Intentad moveros poco cerca de su habitación. En la medida de lo posible, coged lo que necesitéis de una zona contigua al cuarto del niño antes de que se duerma. Podríais incluir estas maniobras entre los rituales que realizáis justo antes de que el pequeño inicie el sueño, cuando necesita escucharos aún cerca de él.

- **Una visita se empeña en ir a ver cómo duerme.**
  Disculpaos con la visita, pero manteneos firmes y no le permitáis que se acerque al niño.

- **Sois vosotros mismos los que entráis en el dormitorio para comprobar que todo va bien.**
  No entréis en su dormitorio si no os llama. Y si no podéis resistir la tentación de aseguraros de que el pequeño se encuentra bien, dejad la puerta entornada para poder observarlo desde lejos sin necesidad de entrar.

- **Tiene frío.**
  Un pijama grueso o un saco para la cuna evitarán que pierda calor si se destapa. Si aun así se enfría, probad a subir la calefacción de su cuarto.

- **Eritema del pañal.**
  Si tiene el trasero muy escocido, cada vez que haga pis le dolerá y se desvelará. Tenéis que proteger su piel al máximo. Preguntad al pediatra por una crema que le cure y le proteja adecuadamente.

- **Alrededor de los 20 meses, la aparición de los primeros molares puede resultar molesta e incluso en algunos niños algo dolorosa.**
  Afortunadamente, este problema es pasajero, como el del eritema del pañal. Una dosis de paracetamol indicada por el especialista será suficiente para ayudarlo a que vuelva a conciliar el sueño.

CAUSAS INTERNAS QUE LE IMPIDEN DORMIR

Muchas de las causas que no dejan dormir a los niños a partir del año son interiores. Si se despierta y se siente seguro y feliz, lo más probable es que se vuelva a quedar dormido en seguida. Pero cuando algo le preocupe, se desvelará y os llamará para que acudáis a consolarle.

- **Tiene miedo y únicamente se calma cuando ve a su madre o a su padre.**
  Quizá durante el día le cuesta llamar la atención de sus padres para que le consuelen cuando lo necesita. En ese caso, por las noches aflora del subconsciente ese temor a no recibir el cariño que precisa y se despierta atemorizado.

- **Habéis iniciado el proceso para destetarle y eso le produce ansiedad.**
  Como no hay prisa alguna para destetarle, podéis ralentizar los cambios unos días e intentarlo más adelante.

- **Esa tarde ha habido una tensa riña en casa.**
  Como ya se ha comentado, los nervios provocan estrés e impiden un adecuado descanso en niños y en adultos. Tratad de que la hora de acostarse sea relajada y afable.

¿Y SI LE DEJAMOS LLORAR?

Las exigencias de atención que requieren los niños son tan altas que lo más recomendable para sus padres es descansar bien y, para eso, los bebés deben dormir el máximo posible de horas.

La antigua costumbre de dejar llorar al niño si se despierta es poco práctica para padres e hijos, ya que entonces no pueden descansar ni el niño ni los padres. Es más útil que los padres se turnen para tranquilizarle y tratar de que se duerma otra vez, y así el otro podrá descansar.

Es inútil tratar de explicar a un bebé que aún no es la hora de levantarse. Si la casa está silenciosa y oscura, es posible que intuya que es mejor no gritar y se comporte con calma si te quedas con él un rato. Si el niño tiene hermanos mayores, se puede aprovechar la tendencia a madrugar de todos los niños para que le acompañen y jueguen con él, a ellos no les costará y vosotros podréis descansar un poco más.

SE DESPIERTA MUY TEMPRANO

Cuando un bebé se despierta porque ha dormido lo que necesitaba, es más que complicado convencerle de que vuelva a dormirse. Y esta tarea resulta mucho más difícil si encima ya no desayuna con pecho o biberón, con lo que seguramente volvía a adormecerse.

DESCONOCE QUÉ HORA ES

Es inútil dejar a un bebé llorar y protestar sin hacerle caso cuando sus horas de sueño han concluido. Ha tenido suficiente descaso y ahora reclama atención. Lo que menos se imagina es que la hora a la que se ha despertado es demasiado temprana. A él eso no le afecta.

Como finalmente tendréis que ir a su lado, lo mejor es hacerlo en seguida y no cuando lleve media hora gritando a pleno pulmón y esté a punto de acabar con vuestros nervios.

QUÉ HACER PARA QUE LE GUSTE QUEDARSE EN LA CUNA

Aunque se haya despertado totalmente, podéis posponer el momento en que el niño se levante con algunos de los siguientes trucos:

- **Algo de luz.** Cuando acostéis al bebé, podéis ponerle una pequeña bombilla de bajo voltaje que no le molestará para dormir, pero que impedirá una oscuridad completa cuando se despierte.

- **Unos juguetes.** Es aconsejable dejar algunos juguetes fuera de la cuna, pero a su alcance, por ejemplo, en un mueble colocado a su lado, para que, cuando se despierte, pueda entretenerse con ellos. También le entretendrá un móvil.

- **Comodidad ante todo.** Cuando el pequeño se desvele definitivamente, es buena idea levantarse unos minutos para darle algo de beber y cambiarle el pañal. Con este gesto es posible que se quede conforme en la cuna jugando mientras vosotros os echáis una hora más.

- **Proporcionarle compañía.** Si en la familia hay más niños, quizá alguno se anime a ir a la habitación del bebé para jugar con él. La compañía de sus iguales beneficia al bebé.

BEBÉS SIN SUEÑO

Como hemos dicho en páginas anteriores, las necesidades de sueño dependen de cada individuo. Es conveniente que los niños de un año se echen un par de siestas durante el día. Sin embargo, no se puede tener bajo un control total cuánto tiempo le dedica a cada siesta un niño de un año. Algunos dormirán entre una y tres horas por siesta, pero a otro con 20 minutos le bastará. No te enfades por eso: tu hijo duerme lo que necesita.

Es verdad que un niño despierto puede resultar extenuante para sus padres, que tendrán que aprender a realizar tareas de adultos incluso durante las horas de vigilia de su hijo.

Consejo: Si el pequeño está contento, a lo mejor disfruta quedándose en su cuna rodeado de juguetes.

- Aunque al ver que sus padres se alejan proteste un poco, es posible que casi inmediatamente se distraiga con objetos interesantes que le hayáis podido alcanzar y que se entretenga el tiempo suficiente para que podáis poner vuestra atención en otras tareas. Busca los juguetes que más le gustan.

- No le dejéis solo si protesta porque se aburre. Es mejor ir a verlo rápidamente para que vea que en cuanto os llama, acudís a su lado. De otro modo identificará la cuna o el cochecito con una prisión y en próximas ocasiones se negará a quedarse sin compañía.

Un niño despierto tiene muchas más horas para aprender y conocer cómo es el mundo que le rodea que otro más dormilón. Por lo tanto, no te lamentes tanto de tener un bebé que no te deja descansar; a cambio, tienes un hijo espabilado y despierto con gran capacidad para aprender y que probablemente te dará muchas satisfacciones en el futuro.

OBJETOS SEGUROS

La idea es que el bebé cuente con juguetes para entretenerse que sean totalmente seguros, y más en momentos en que pensáis dedicar vuestra atención a otros menesteres. Para mayor tranquilidad, lo ideal son los juguetes que llevan el logotipo CE, que indica que cumplen las normas de seguridad que exige la Unión Europea.

Estos son algunas ideas de juguetes que podéis dejar a vuestros hijos:

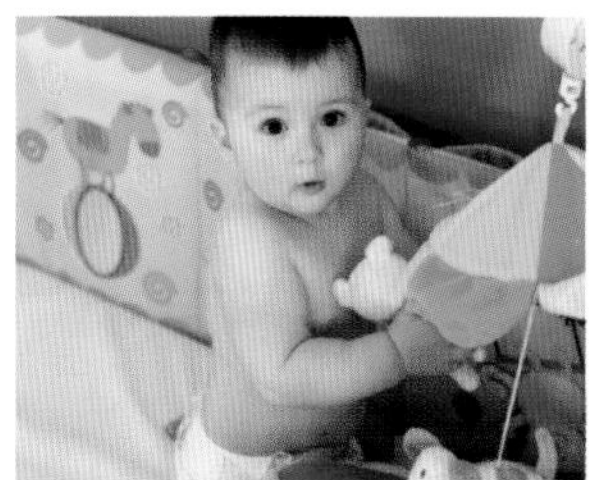

Los juguetes del bebé deben ser totalmente seguros. Los libros de tela cuyas páginas crujen o tienen ventanas para descubrir cosas suelen gustarles mucho, al igual que los tradicionales sonajeros.

ANTES DE LLEVARLO A VUESTRA CAMA...

En algunas épocas es posible que al bebé le dé por despertarse y llorar varias veces durante la noche. Llega un momento en que os sentís tan cansados que decidís llevarlo a vuestra cama para que deje de llorar y vosotros podáis dormir. Sin embargo, antes de optar porque duerma con vosotros debéis contemplar claramente las consecuencias que tendrá esta decisión para las próximas semanas. Nada malo hay en que el pequeño comparta cama con los adultos. Pero ¿qué pasará cuando queráis convencerle de que solo se duerme mucho mejor? Pues que no lo aceptará y querrá seguir acostándose a vuestro lado.

La solución más práctica a largo plazo es levantarse e ir a verlo cuando el niño se despierte por una pesadilla, por ejemplo. Debéis transmitirle la sensación de confianza, y para eso tiene que estar seguro de que puede contar con vosotros. Puede que esta opción os deje extenuados durante un par de noches, pero en cuanto deje de despertarse, dormirá sin molestaros en absoluto.

Cuando el bebé esté seguro de que estáis cerca de él, seguramente le bastará con escuchar vuestra voz si os llama, sin necesidad de que entréis en su habitación.

- **Libros.** Los hay de cartón grueso, de tela y algunos hasta incluyen objetos relacionados con su contenido. Cuida de que no contengan piezas pequeñas.

- **Cubos para encajar entre sí.** Tradicionales juguetes para la infancia, con ellos los niños desarrollan capacidades muy variadas, como el manejo de sus manos y la percepción espacial.

- **Muñecos.** Antes de dejarle uno, hay que asegurarse de que no tiene ninguna pieza que pueda soltarse fácilmente, como los ojos y adornos en el pelo, entre otras.

- **Cacharritos.** Imitan las vajillas y cuberterías de verdad.

- **Coches.** También hay que poner atención a que las piezas no se desprendan.

COMPORTAMIENTO EN LAS COMIDAS

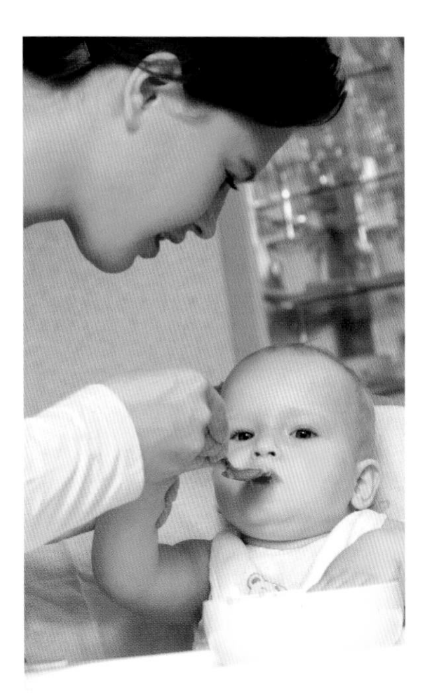

El primer objetivo que los padres tienen que asumir es que el momento de la comida debe ser grato para todos. Eso implica dejar a un lado obsesiones sobre lo que es una alimentación correcta y olvidarse de hábitos que únicamente adquirimos por imperativo cultural. El bebé está experimentando y así es como aprende.

NORMAS INNECESARIAS

El bebé de 12 a 24 meses desconoce por completo las reglas de educación en la mesa que seguimos los adultos. Si tiene hambre, come; y si no tiene hambre, no come. Es así de sencillo. No hay que buscarle otra explicación ni darle más vueltas.

Estas son algunas ideas preconcebidas acerca de la comida:

- A un adulto le parecerá inconcebible dejarse parte de la comida en el plato y lo identificará como un derroche innecesario. Pero bien pensado, obligar a ingerir alimentos a una persona aunque no tenga hambre también es derrochar.

No se puede educar a un bebé en la comida tratando de constreñirlo en rígidas normas de urbanidad cuando aún es muy pequeño, del mismo modo que no es justo obligarle a comer de todo cuando nosotros mismos no predicamos con el ejemplo. Si los niños ven a sus padres comer bien, les imitarán.

- Si al puré le han quedado algunos grumos, es posible que el niño no desee tomárselo. Para un adulto ese rechazo puede ser una falta de educación. Sin embargo, el pequeño seguramente no lo quiere porque le cuesta tragarlo. ¿Qué se pierde con volver a pasarle el puré de manera que quede más fino? Nada, en realidad. Serán cinco minutos de trituradora frente a una hora de lucha para intentar que el pequeño se lo coma.

- En cuanto el niño come un poco, trata de bajarse de la silla para volver a sus quehaceres favoritos. La buena educación nos exige permanecer sentados hasta que acabe la comida. Pero un pequeño movido no podrá soportarlo. Así que en vez de obligarle a quedarse quieto peleando con él para que acabe de comer sentado, quizá sea más práctico permitirle que dé una vuelta durante un par de minutos y luego vuelva a la mesa.

- Para un adulto lo correcto es tomarse el postre en último lugar y le resulta extraño que el niño prefiera empezar por el yogur y terminar con el puré. O peor aún, que desee ir alternando una cucharada de yogur con otra de puré. ¿Es una mala decisión? Desde el punto de vista nutricional, en absoluto. Entonces, ¿por qué no permitírselo? Se trata de que coma de todo.

Lo cierto es que los problemas surgen porque los adultos tratan de imponer una serie de rígidas reglas respecto de la comida que lo único que consiguen es convertirla en un problema. La comida debe ser atractiva y divertida.

Es buena idea que el bebé nos acompañe a la compra, nos preste una mínima ayuda (por ejemplo, meter los paquetes menos pesados en el carrito) y nos vea cocinar o le dejemos colaborar mínimamente en la elaboración de la comida. Cuando después la vea en el plato, la aceptará con mayor facilidad.

CÓMO AYUDAR A COMER A VUESTRO HIJO

Estas son algunas ideas para que el bebé aprenda a manejarse solo a la hora de alimentarse y asocie la comida con una actividad estimulante y atractiva:

- **Ponedle la comida de manera que le resulte sencillo llevársela a la boca.** Llenadle la cuchara con la papilla o el yogur, y acercádsela a su mano de manera que pueda asirla y metérsela en la boca con la impresión de que lo hace él solo.

- **Lo mismo puede hacerse con un tenedor adaptado a su edad**, por ejemplo, para que coma trocitos de queso. Si prefiere comer con los dedos, permitídselo. La clave está en que el niño se vea capaz de conseguir el alimento por sí mismo, que note que está integrado en la mesa familiar.

- **Dejadle que haga sus propias combinaciones de alimentos.** ¿Por qué no se puede combinar miga de pan con yogur? ¿Y plátano machacado con trocitos de queso? No es bueno tener prejuicios alimentarios.

- Dedicarse muchas horas a preparar un sofisticado plato al bebé es arriesgarse a un disgusto si cuando lo prueba no le gusta. **Lo más recomendable es prepararle platos sencillos.** De este modo si no se los toma, apenas habréis perdido tiempo y no os enojaréis. Y además, los sabores básicos tienen más porcentaje de éxito.

PADRES E HIJOS DURANTE LA COMIDA

Nada hay que les guste más a los hijos que estar con sus padres, así que las comidas son momentos del día ideales para estar juntos. Como ya se ha dicho anteriormente, lo importante es que se cree un ambiente distendido y grato. Cada familia tiene sus propias costumbres y poco a poco el pequeño se irá incorporando a ellas. Intentad hacer al menos una de las comidas principales juntos.

Al principio es posible que el niño de 15 meses se aburra si permanece sentado mucho tiempo. Además, le resultará muy difícil incorporarse a la conversación cuando los mayores no se dirijan directamente a él. Tenedlo en cuenta y no os enfadéis.

LAS BUENAS MANERAS

Los buenos hábitos en la mesa se pueden ir aprendiendo con tiempo y paciencia. Pero la sensación de que comer es uno de los mejores momentos del día, un niño la debe tener desde el principio. En caso contrario, toda la familia estará en tensión cada vez que llegue la hora de comer.

Compartir mesa con los mayores tiene más ventajas que inconvenientes. Cierto que seguramente las primeras semanas resulte enojoso, pero es una manera de que el niño aprenda más rápidamente a...

- Comer sin necesidad de ayuda.
- Comer de forma correcta imitando a los mayores.
- Probar de todo, porque ve a sus padres que comen platos diferentes al suyo.
- Utilizar los cubiertos.
- Permanecer en la mesa el tiempo que dure la comida.
- Comportarse educadamente.

Durante el proceso de dentición, muchos niños babean más, se muestran irritados o cambian sus patrones de sueño o alimentación. Es un proceso que a veces es molesto para los niños y una forma de hacer su comida más apetecible en ese momento es no servirle platos muy calientes, ya que la comida fría aliviará sus encías doloridas.

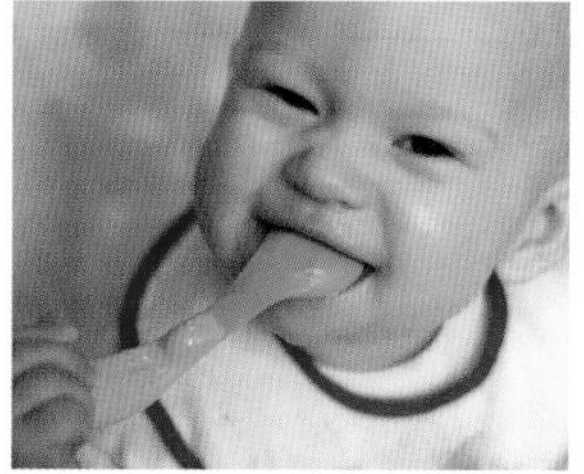

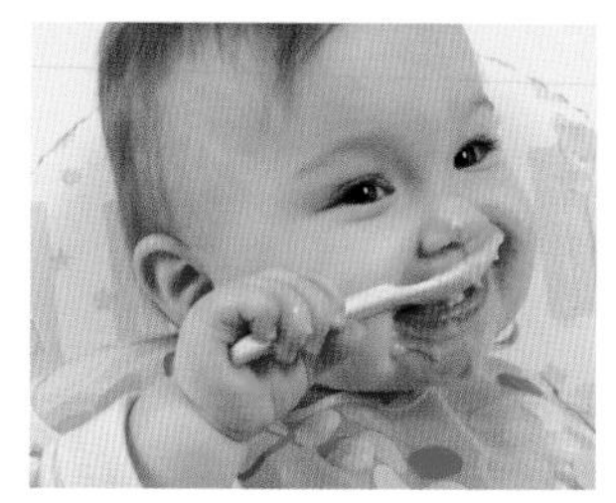

Muchos bebés que comienzan la dentición sentirán el impulso de morder la cucharita. Debemos permitírselo, le aliviará mucho y terminará comiendo mejor y más cantidad que si nos enfadamos con él.

Pero paulatinamente y sin que casi os deis cuenta vuestro hijo será uno más en la mesa. Si cocináis con elementos sencillos y aptos para pequeños, pronto compartirá vuestros mismos platos y manejará los cubiertos con relativa soltura. Y entonces os sentiréis orgullosos de vuestro hijo a la hora de comer.

LA DENTICIÓN

Los primeros dientes que le salen a un bebé son los incisivos, que sirven fundamentalmente para morder. Aunque sean los únicos dientes que tiene, no los emplea más que para morder. Cuando tiene que masticar, lo hace siempre con las encías. Por eso aún no puede comer alimentos duros o correosos.

Esto es importante tenerlo en cuenta cuando se empiecen a ofrecer al niño alimentos sólidos. Tendrán que ser los suficientemente suaves para que no le lastimen las encías. Escojamos pescados desmenuzados y carne picada.

CAMBIO EN LAS DEFECACIONES

Cuando el bebé deja de tomar únicamente leche e inicia la ingesta de otros alimentos, sus defecaciones cambian. Es posible que en ellas se aprecien elementos sin digerir o mucosidades. No hay que alarmarse. Simplemente, el niño todavía no está preparado para digerir correctamente algún alimento. Su sistema digestivo puede ser inmaduro todavía ante determinado alimento.

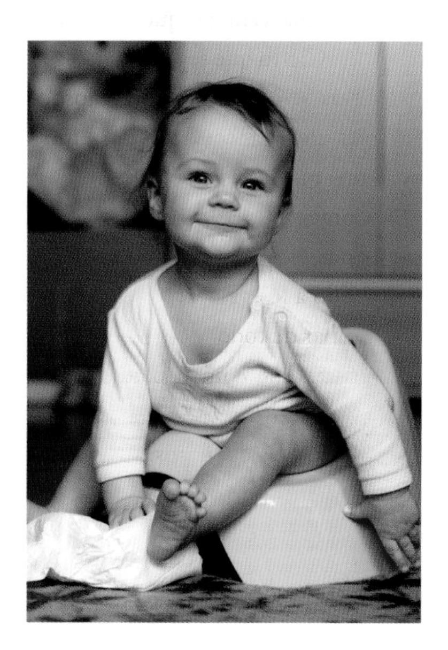

Podéis dejar de dárselo durante unos días y volver a ofrecérselo más adelante, cuando su sistema digestivo haya madurado algo más. Si el episodio se repite, quizá debamos plantearnos que exista alguna intolerancia o alergia. Lo mejor es consultar con el pediatra y, por prudencia, retirar ese alimento concreto de la dieta del bebé hasta haber llegado a alguna conclusión.

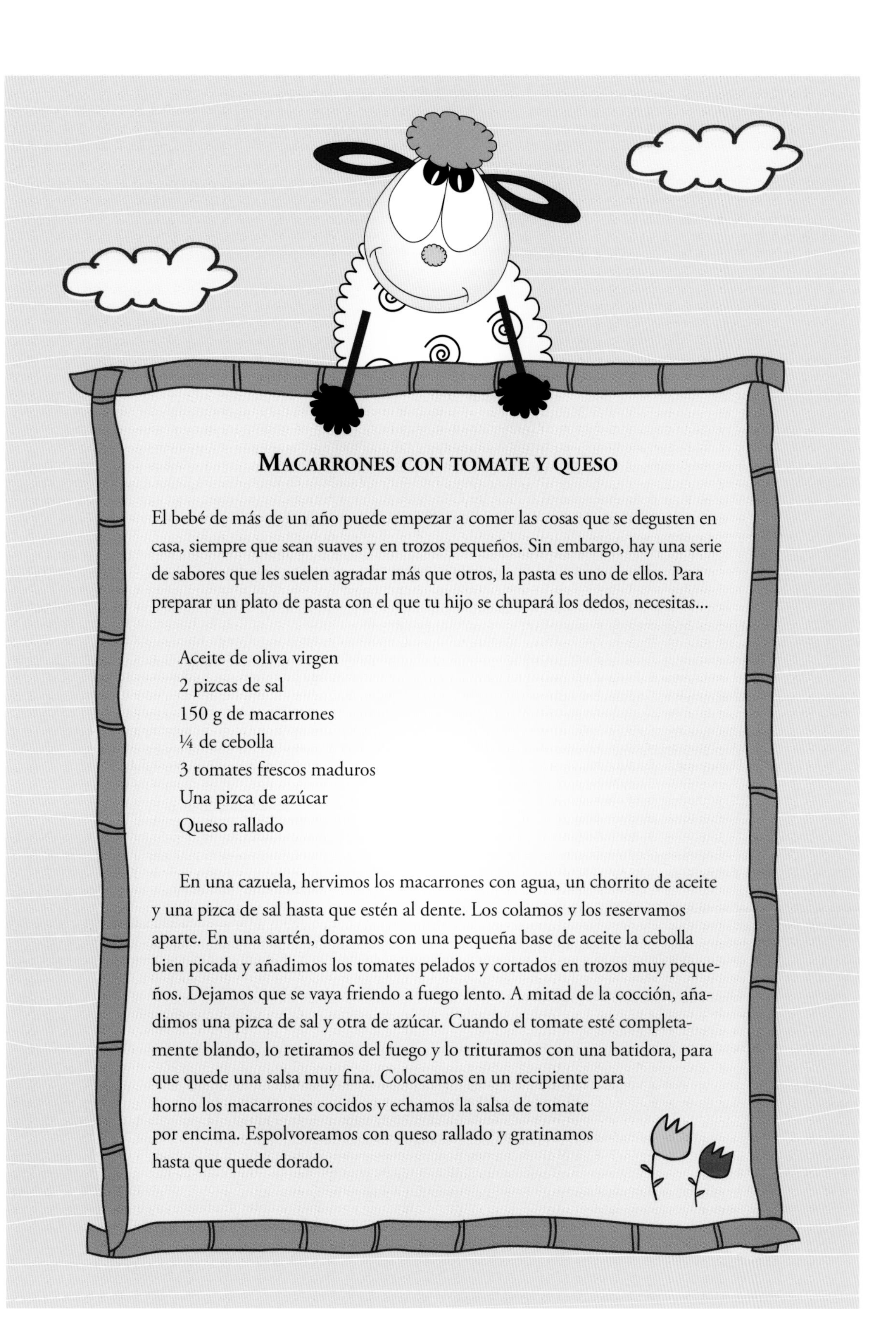

MACARRONES CON TOMATE Y QUESO

El bebé de más de un año puede empezar a comer las cosas que se degusten en casa, siempre que sean suaves y en trozos pequeños. Sin embargo, hay una serie de sabores que les suelen agradar más que otros, la pasta es uno de ellos. Para preparar un plato de pasta con el que tu hijo se chupará los dedos, necesitas...

Aceite de oliva virgen
2 pizcas de sal
150 g de macarrones
¼ de cebolla
3 tomates frescos maduros
Una pizca de azúcar
Queso rallado

En una cazuela, hervimos los macarrones con agua, un chorrito de aceite y una pizca de sal hasta que estén al dente. Los colamos y los reservamos aparte. En una sartén, doramos con una pequeña base de aceite la cebolla bien picada y añadimos los tomates pelados y cortados en trozos muy pequeños. Dejamos que se vaya friendo a fuego lento. A mitad de la cocción, añadimos una pizca de sal y otra de azúcar. Cuando el tomate esté completamente blando, lo retiramos del fuego y lo trituramos con una batidora, para que quede una salsa muy fina. Colocamos en un recipiente para horno los macarrones cocidos y echamos la salsa de tomate por encima. Espolvoreamos con queso rallado y gratinamos hasta que quede dorado.

ZUMO PARA SORPRENDER

Hay niños que se resisten a comer fruta, por lo que los padres tienen que hacer un alarde de imaginación para que su alimentación sea equilibrada y no les falten vitaminas a su dieta. Seguramente, les resultará más fácil que se beba un zumo en lugar de masticar pedazos de fruta, así que hagamos un colorido y divertido zumo sorpresa para la merienda.

Una cucharada de nueces de Macadamia
¼ de taza de zumo de naranja
Un kiwi
2 cucharadas de yogur

Colocamos las nueces de Macadamia y el zumo de naranja, que debe ser natural, en un vaso de batidora y trituramos todo bien. Debe quedar líquido y bien mezclado. A continuación, pelamos y partimos en trozos un kiwi y lo añadimos a la mezcla junto con el yogur, volviendo a batir todo enérgicamente. El zumo tomará un color curioso y atractivo para los niños. Debe servirse recién hecho y a temperatura ambiente.

IDEA

Los bebés menores de tres años no deben comer frutos secos porque podrían atragantarse o asfixiarse con ellos; sin embargo, sus nutrientes y su fibra son muy beneficiosos para los niños, por lo que es buena idea licuarlos en zumos de frutas para que aprovechen sus propiedades.

NUEVAS ACTIVIDADES, OTRAS NECESIDADES

Entre los 12 y los 24 meses los bebés realizan actividades de una exigencia física y mental agotadora. Empiezan a andar y a hablar, se sientan, gatean, se levantan, se caen y se vuelven a levantar. Su día a día parece un entrenamiento de un deportista de alta competición. De ahí la importancia de una alimentación apropiada.

Cuando el bebé camina, su actividad se multiplica y es entonces cuando los padres suelen decir que «no para» y es verdad: el bebé juega sin parar, camina y corretea, se agacha y se levanta, transporta objetos, da patadas a una pelota, etc., y toda esa actividad debe recuperarla comiendo una dieta diversificada y durmiendo lo necesario cada día.

UNA DIETA EQUILIBRADA

Para que la alimentación de una persona pueda considerarse completa y equilibrada, se debe tener en cuenta la ingesta de productos que se realiza a lo largo de varios días. Por los alimentos que se consumen en un único día no se puede concluir si alguien lleva una dieta equilibrada o no, es necesario observarlo al menos semanalmente.

Así pues, se han de evitar obsesiones acerca de si el niño ha tomado o no suficientes vitaminas en el desayuno. Lo que le falte lo completará en el almuerzo, al día siguiente e incluso a la semana siguiente.

De hecho, realizar cálculos exactos de los nutrientes que aporta cada producto es casi imposible. ¿Cómo puede saberse cuánta vitamina C aporta una naranja si ello depende de su tamaño, de cuándo se ha recolectado, cuánto tiempo ha permanecido almacenada, cuándo se ha exprimido y qué cantidad de vitamina asimilará nuestro organismo? Démosle la naranja sin más preocupaciones.

La única certeza que se puede tener es que los nutrientes que falten en una comida los ingeriremos en otra si tratamos de llevar una alimentación variada.

Algunos mitos que hay que desterrar:

- **La leche es insustituible**
  Aunque la leche es un alimento muy importante en la alimentación por sus proteínas, vitaminas y minerales, no hay que obsesionarse con que tome una determinada cantidad al día. Esos mismos nutrientes se pueden ingerir en el yogur, las natillas, el queso y hasta en el puré de patatas.

- **El huevo es un elemento clave en una dieta completa**
  Cierto, pero no hay por qué comerse una tortilla o un huevo pasado por agua. El huevo también puede estar en los flanes, los bizcochos o los batidos.

UN BUEN COMENSAL

Alimentar a un niño no es solamente darle de comer. Cada vez que la familia se reúne en la mesa proporcionamos al hijo alimentos y nutrientes, sí, pero también una satisfacción, autonomía, el placer de compartir algo, un momento de comunicación y un vínculo emocional muy importante.

Un buen comensal aprenderá pronto a distinguir que la hora de comer es un momento en el que toda la familia participa, donde cada uno ocupa su posición y comparte las experiencias del día con los demás, aparte de disfrutar de la comida en sí. Con ello, aprenderá también a valorar los alimentos, a degustarlos y saborearlos, a apreciar los olores, la presentación, los colores... del mismo modo que los adultos, y llegará a ser todo un *gourmet* si sus padres se esfuerzan porque eso sea así desde el principio.

¿COME TODO LO QUE NECESITA?

Sin lugar a dudas sí. La preocupación de los padres por si sus hijos no comen lo suficiente en la mayor parte de los casos es injustificada. Mientras veáis que crece y es feliz y activo, las preocupaciones estarán de más.

Si queréis aseguraros de que vuestro hijo toma las vitaminas que necesita, pedidle al pediatra que os recete un suplemento vitamínico.

LAS LEGUMBRES

Entre los 12 y los 15 meses se introducen las legumbres en los purés. Como con todos los alimentos que se van incluyendo en la dieta de un niño, las legumbres hay que ofrecérselas de una en una. Se puede probar con incorporar una docena de judías blancas un día y volver a repetir la operación una semana después si la digestión ha ido bien.

ALIMENTOS QUE SE DEBEN POSPONER

Por cuestiones de seguridad es aconsejable posponer hasta después de los tres años algunos productos. Entre ellos, por ejemplo, los frutos secos, caramelos, trozos de manzana grandes, aceitunas con hueso y frutas con pepitas. Nada tiene que ver este consejo con cuestiones nutricionales, sino simplemente con evitar accidentes.

LA LECHE DE CONTINUACIÓN

En vez de la leche entera de vaca, algunos especialistas son partidarios de ofrecer a los niños de hasta tres años las llamadas leches de continuación. Por su parte, la Sociedad Europea de Gastroenterología, Hepatología y Nutrición Pediátrica desaconseja la leche de vaca en menores de un año.

Las leches de continuación están elaboradas de manera que se parezcan lo más posible a la leche materna en cuanto a sus propiedades nutricionales y su mayor facilidad de digestión para los más pequeños.

Existen en el mercado multitud de leches de continuación enriquecidas con vitaminas o minerales y otros productos lácteos de la misma gama. Estos preparados deben aportar el 40%-50% de la energía del bebé y el calcio necesario para el crecimiento.

Nutrientes y sus funciones

Elemento	Funciones	Necesidades diarias para un niño de 12 a 24 meses
Calorías	Sirven para crecer y para que el organismo funcione correctamente.	1.200 kcal
Hidratos de carbono	Aportan energía al organismo en forma de glucosa, de gran importancia para el cerebro y el sistema nervioso.	100-160 g
Grasas	Participan en el crecimiento y desarrollo infantil, en la regulación de la presión arterial y ayudan al cuerpo a digerir las vitaminas A, D, E y K.	40 g
Proteínas	Los procesos biológicos del organismo dependen de ellas.	40 g
Calcio	Interviene en el desarrollo de huesos y dientes, en el buen funcionamiento de los músculos y en la coagulación de la sangre.	800 mg

Un posible menú

Desayuno	200 ml de leche con cereales
Media mañana	Un plátano
Comida	Puré de verduras con 50g de ternera y un yogur
Merienda	Jamón de York, queso fresco y pan con mantequilla
Cena	Macarrones, 1/2 tortilla y zumo de naranja

Se trata de que todos los nutrientes esenciales estén representados en cada menú diario y en su justa proporción. Por eso, las frutas y los lácteos están más presentes que otros, aunque no faltan ni proteínas ni hidratos. Las grasas, que siempre deben ser más anecdóticas, están, sin embargo, presentes en su forma más natural y nutritiva: la mantequilla de la merienda.

Puré de espinacas

PROBLEMAS CON LA ALIMENTACIÓN

Algunos alimentos son causa típica de alergias infantiles. La leche de vaca, por ejemplo, es un habitual en las consultas pediátricas, aunque muchas veces la intolerancia a la lactosa, al igual que la del huevo, se corrige con la edad. Los bebés alérgicos a la leche pueden tomar la leche de soja y sus derivados como sustitutivo.

Cuando algún miembro de la familia ha padecido desórdenes alérgicos, es aconsejable ponerle al tanto al pediatra desde el principio, pero muy especialmente cuando el bebé va a iniciar la alimentación mixta. Es fácil que si el padre o la madre son alérgicos a algún alimento común, el bebé puede heredarlo. Una vez adoptada esta precaución, seguid los consejos del médico sobre cómo actuar para evitar sorpresas desagradables.

ALERGIAS E INTOLERANCIAS

Ante los casos de alergias e intolerancias alimenticias, lo principal es contar con el diagnóstico médico. El que un bebé tenga diarrea después de tomar un vaso de leche de vaca puede deberse a distintas causas. Quizá sea alérgico a la proteína de la leche. O puede que tenga intolerancia a la lactosa. A lo mejor la leche no tiene nada que ver y ha coincidido que se la ha tomado cuando estaba empezando a tener una gastroenteritis. Asegúrate antes de descartar un alimento.

Los estudiosos aseguran que entre el 5% y el 6% de los menores de tres años ha padecido alergia por causa de algún alimento. Asimismo, aseguran que las alergias alimentarias tienen mucho que ver con la herencia, pero no se sabe por qué algunos individuos las desarrollan y otros no. Vigilemos al bebé.

ALIMENTOS QUE CAUSAN LA MAYORÍA DE LAS ALERGIAS

- Cacahuetes (incluida la mantequilla de cacahuetes).
- Huevo.
- Leche de vaca y derivados.
- Soja.
- Trigo.
- Marisco.
- Fresa.
- Tomate.
- Chocolate.

SÍNTOMAS DE ALERGIA

- Hinchazón en los labios, la lengua, los párpados y/o la cara.
- Dificultad para tragar.
- Diarrea, náuseas, vómitos, dolor abdominal.
- Urticaria o eccemas.
- Dermatitis.
- Congestión nasal.
- Respiración dificultosa.

Ante cualquier reacción alérgica, es conveniente llevar al niño al pediatra para que valore la situación, ya que en raras ocasiones, una alergia puede derivar en un shock *anafiláctico de gravedad que afecte a órganos vitales ocasionando incluso la muerte. No debemos asustarnos, pero sí ser prudentes y confiar en el profesional sanitario.*

Los síntomas generales más habituales de una alergia alimentaria son los vómitos, la diarrea y las erupciones cutáneas. Dejando aparte lo incómodo de la situación, lo único verdaderamente importante es mantener el nivel de hidratación del niño.

Aparición de los síntomas

- En un intervalo máximo de 30 minutos desde la ingestión del alimento aparecen los vómitos, las náuseas, una urticaria o las dificultades para respirar.

- Los síntomas pueden manifestarse dos horas después de haber tomado el alimento causante de la alergia. Por ejemplo, pueden empezar con una diarrea.

- Es posible que los primeros síntomas, como una dermatitis, no aparezcan hasta varios días después de haber ingerido el alimento causante.

- En los casos de mareos y sensación de ahogo lo más seguro es acercarse a urgencias.

Gastroenteritis

Se trata de una inflamación del estómago y los intestinos causada por la acción de microbios que acceden al organismo por vía oral y que provoca sensación de debilidad. La prioridad es impedir que el bebé se deshidrate.

Causas que la pueden provocar

- Ingestión de alimentos contaminados, fundamentalmente huevos, mariscos y carne de cerdo.

- Contagio de una persona a otra.

- Alteración de la flora bacteriana intestinal, a veces provocada por antibióticos.

Síntomas

- Pérdida de apetito.
- Náuseas y vómitos.

- Diarrea.
- Fiebre.
- Dolor abdominal.

TRATAMIENTO
- Reposo.

- Las primeras 24 horas, no ingerir alimentos.

- Beber mucho líquido a pequeños sorbos cada cinco minutos. Por ejemplo, agua o, mejor, suero. Algunos médicos aconsejan las bebidas isotónicas de los deportistas, especialmente elaboradas para rehidratar.

RECETA DE SUERO PARA HIDRATARSE ANTE UNA GASTROENTERITIS
Mezclar en un litro de agua endulzado con un poco de azúcar el zumo de dos limones, un pellizco de sal y un pellizco de bicarbonato.

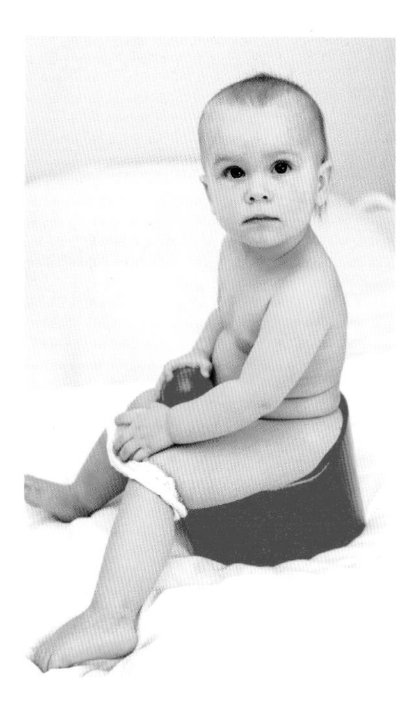

Para algunos niños el orinal es un pequeño trauma que debemos ayudarlos a superar. Nunca debemos agobiarles con prisas, sino darles su tiempo y comprender sus temores, si les explicamos que gracias al orinal no les dolerá la tripa, probablemente acabemos con los problemas de estreñimiento derivados del miedo al orinal.

DOLOR DE ESTÓMAGO

Cuando un niño se queja de dolor abdominal, es difícil saber qué hacer. Puede ser algo leve, como simples gases o indigestión, o algo más grave. Si parece ser una molestia suave, se puede esperar un poco a ver si se le pasa. Pero si transcurren dos horas y el pequeño sigue quejándose, lo más sensato es llamar al médico.

En el caso de que el niño parezca muy enfermo, grite de dolor, se lamente o se encoja sobre sí mismo no debe haber ninguna duda: hay que salir corriendo a urgencias.

ESTREÑIMIENTO

Un bebé que nunca ha tenido problemas de estreñimiento puede empezar a tenerlos cuando se introduce la alimentación mixta. En muchas ocasiones, además, la aparición del estreñimiento coincide con los primeros contactos con el orinal. El niño prefiere aguantarse a sentarse en el orinal, la bola fecal se seca y se va haciendo cada vez más grande y dura, lo que dificulta su expulsión.

ALIMENTOS RECOMENDADOS PARA COMBATIR EL ESTREÑIMIENTO
- Frutas y verduras.
- Legumbres.
- Cereales integrales.

Para los que rechazan los alimentos integrales, en las tiendas de comestibles se vende pasta y pan con fibra blanca que no se nota al comer. Las frutas y legumbres son fuente de fibra primordial.

El periodo entre los dos y tres años es el paso definitivo de bebé a niño. Caminan y corren con seguridad, hablan cada vez con frases más complejas y un vocabulario más amplio que les permite desarrollar el pensamiento y el sentido del humor.

DOS Y TRES AÑOS

Pero también son portadores de una energía sin límites capaz de agotar la paciencia de sus padres. Preparémonos para disfrutar de una de las mejores etapas de su vida y estemos prevenidos ante los problemas típicos de esta edad.

NECESIDADES DE SUEÑO

A medida que el niño crece los cambios se van ralentizando. No es comparable la velocidad de las transformaciones que se producen en los primeros meses de vida que las que tienen lugar a partir del segundo año. Pero desde los 24 meses comienzan otro tipo de problemas, como las primeras pesadillas.

MODELOS DE NIÑO

En el mundo existen dos tipos de niños:

- Los que cuando sus padres les mandan ir a la cama, se van sin rechistar tan contentos, se duermen en seguida y lo hacen de un tirón toda la noche.

- Los que se niegan a acostarse, o tardan mucho en dormirse, o se despiertan a menudo por las noches, o bien plantean todos estos inconvenientes juntos.

Si vuestro hijo es de los que duermen de un tirón, seguid haciendo lo que hayáis hecho hasta ahora, porque funciona muy bien. Pero si pertenece a una de las variantes de los que se despiertan a menudo, tendréis que pensar detenidamente por qué es así y cómo podéis ponerle remedio. No desesperéis: hay soluciones.

A partir de los 24 meses el bebé es cada vez más independiente, pero sigue necesitando mucha atención de sus padres. Su actividad física e intelectual va a toda velocidad y poco a poco adquiere múltiples habilidades. Los padres lo ayudarán a dormir y comer de forma tal que el niño se sienta cada vez más seguro de sí mismo y de su entorno.

CÓMO ACTUAR CUANDO LLEGA LA HORA DE ACOSTARSE

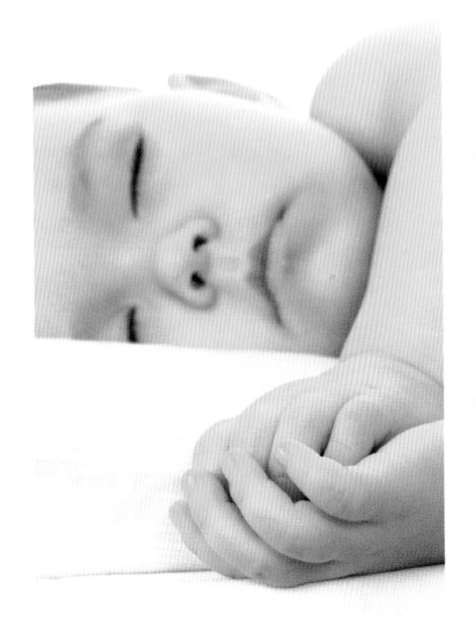

- Avisad al niño de que se aproxima el momento de irse a la cama para que tenga tiempo suficiente de terminar lo que esté haciendo y esté preparado mentalmente.

- Cuando esté acostado, contadle un cuento. Si lo hacéis cuando está fuera de la cama, el cuento será otra actividad agradable que debe abandonar para ir a dormir. Pero si se trata de algo que se hace en la cama, estará deseando que llegue ese momento mágico de la jornada y todo será mucho más fácil.

- Esperad unos minutos a su lado en vez de marcharos apresuradamente, lo que le daría la sensación de que estáis deseando dejarle para ir a otra zona de la casa donde es más divertido estar.

- Prometedle –y cumplidlo, claro– que siempre que os necesite acudiréis a su lado.

- No le permitáis que salga de la cama con cualquier excusa. Siempre se le ocurrirá algo para levantarse: coger un vaso de agua, contaros algo importante, ir a hacer pis, etc. Si quiere deciros algo o tiene sed, acercaos vosotros a él. Pero en el caso de que quiera ir al baño, tendréis que ser más tolerantes si está empezando a dejar el pañal. Quizá sea una buena idea poner un orinal en su habitación para que no tenga que abandonar el dormitorio.

LOS TEMORES

A esta edad, una gran cantidad de niños suelen sentir miedo por pensamientos que se les vienen a la cabeza cuando están a punto de dormirse. No le regañéis si vuestro hijo los tiene ni les quitéis importancia. Lo cierto es que en esos casos lo pasan mal. Para ellos la posibilidad de que haya un monstruo en el armario o detrás de la puerta es absolutamente real. Prácticamente lo están viendo. Tratad de recordar vuestra etapa infantil y poneos en su lugar.

En ocasiones estos pensamientos aparecen después de haber escuchado alguna historia o de haber visto algo en la televisión.

QUÉ HACER SEGÚN SEA EL ORIGEN DE LOS MIEDOS

Temor a que entre alguien en casa

Convencedle de que nadie que no pertenezca a la familia puede entrar y que todo está bien cerrado.

Miedo a personajes del cine o la televisión

Vigilad con atención los programas y películas a los que tiene acceso para impedir que vea algo que le atemorice. Pero si ya ha visto algo que le asusta, lo único que podéis hacer es hablar con él pacientemente hasta que sepa que ese personaje que tanto miedo le da no existe. La diferencia entre ficción y realidad todavía no es capaz de hacerla.

Un niño pequeño no tiene capacidad para separar las cosas que son reales y las que son imaginarias, por eso, aunque a ojos de un adulto, sean tonterías, debemos respetar lo que le da miedo y ayudarlo a superarlo.

DESPERTARSE SIN RAZÓN

Puede que el niño después de algunas horas de sueño nocturno se despierte. Quizá se sienta sin sueño y la casa, a oscuras y en silencio, le pueda preocupar. Es posible que piense que su familia se ha marchado y se ha quedado solo. Así que es normal que os llame para eliminar una inquietud que crece a medida que pasan los minutos.

Si eso ocurre, no os enfadéis. Recordad que es pequeño y para él cualquier cosa es un mundo. Acercaos a su dormitorio para que se asegure de que está acompañado. Si se ha desvelado mucho, permitidle que hojee un cuento o acercadle algún muñeco con el que pueda jugar un poco. Pasados unos minutos el sueño volverá a vencerle.

Volved entonces a vuestra habitación, pero dejad una rendija en su puerta.

TEMORES

El mundo imaginario del bebé puede jugarle malas pasadas por la noche. Para ayudarlo a vencer sus miedos ante pesadillas, debemos transmitirle confianza y seguridad en siempre.

Es bueno dejar que explique qué ha soñado para hacerle ver poco a poco que no se corresponde con la realidad y que estamos a su lado para ayudarlo.

Durante el día podemos jugar haciendo teatro con los personajes que le dan miedo por la noche y eso lo ayudará a superarlo.

Ansiedad por una conversación mal entendida, una discusión o el llanto de un adulto de la familia

En estos casos tendréis que hablar con él y explicarle de manera que lo pueda entender qué ocurre y por qué no hay razón para que se angustie. No le mintáis, decidle siempre la verdad. Si le mentís, algún día se dará cuenta y perderá la confianza en vosotros.

DETESTA ESTAR SOLO

Algunos niños no soportan quedarse solos para dormir, y mucho menos si se despiertan a media noche.

Soluciones

- Procurar que pase tiempo en su habitación. Tiene que asociar su cuarto con momentos agradables. Si juega en su habitación a veces, conciliará mejor el sueño en ella.

- Podéis cambiar su dormitorio al de alguno de sus hermanos. Así, cuando no pueda conciliar el sueño, escuchará la respiración de la otra persona y se sentirá acompañado.

- Si no tiene hermanos, quizá podáis poner en su habitación alguna mascota con la que no sea peligroso dormir: unos peces o una tortuga no son muy engorrosos de cuidar y le harán compañía.

- Colocad algún objeto infantil que le guste especialmente. Hay relojes cuyo sonido puede ser una solución contra la soledad, lámparas de bajo voltaje que iluminan suavemente la habitación, etc.

- Acostadlo con un muñeco blandito y pequeño al que tenga especial cariño y que pueda abrazar.

De uno a tres años, la hora idónea para acostarse es entre las 20:30 y las 21 horas. Organizad los horarios de las siestas y las comidas de manera que se imponga una rutina familiar que os facilite el día a día.

MÉTODOS PARA EDUCARLE A LA HORA DE DORMIR

Acostar a un niño puede ser una tarea más que complicada que hay repetir noche tras noche. Según recientes investigaciones, la mitad de los niños de dos años presentan dificultades a la hora de irse a la cama. Las páginas siguientes se van a dedicar a los distintos métodos a disposición de los padres para educar el comportamiento de sus hijos en ese delicado momento de la jornada en el que todos estamos cansados y tenemos menos paciencia.

El biberón suele proporcionar consuelo a muchos niños y, además, la leche es un buen método para inducir a la somnolencia. Por eso, un vasito de leche templada en la cena puede ayudarlos, pero ofrecerles un biberón en la misma cuna no. Es mejor dejarles un chupete, que pueden encontrar y usar si se despiertan por la noche, que un biberón que habrá que llenar y calentar.

DISTINTAS ACTITUDES

Es frecuente que los padres primerizos cometan ciertos errores a la hora de afrontar el sueño de sus hijos y aunque sea con la mejor intención, es mejor evitarlos.

Acunar al niño hasta que se duerma

Los padres han acostumbrado a su hijo a que hasta que le venza el sueño ellos le cantarán y acunarán.

Ventajas

- Evitan la crispación que producen los llantos desconsolados de su pequeño.

Inconvenientes

- El tiempo que pasan cantándole y acunándole tiende a prolongarse cada vez más.

- Si el niño se despierta por la noche, el padre o la madre deberá volver a cantar y a acunarle hasta que vuelva a coger el sueño. El cansancio de los mayores aumentará día a día, minará su buena voluntad y terminará en enfado.

Darle un biberón en la cuna para que se duerma mientras lo toma

Ventajas

- Los padres se evitan el trámite de la cena y adoptan un sistema más cómodo para ellos.

Inconvenientes

- El niño exigirá un biberón para acostarse hasta bien mayor.

- Si por la noche se despierta, pedirá un biberón para volver a dormirse. Esta alternativa también resulta fatigosa para los padres a medio o largo plazo.

HABLAR EN SUEÑOS

Si vuestro hijo habla mientras duerme, no es necesario que le despertéis, a no ser que tenga una pesadilla. Tampoco deberíais contarle que por la noche habla, porque podría asustarse de hacer algo de lo que no es consciente.

Si vuestro hijo duerme con otros hermanos que se despiertan cuando habla, es posible que tengáis que pensar en ponerles en habitaciones separadas. Cuando un niño empieza a hablar por las noches, seguramente continuará haciéndolo durante meses e incluso años.

Hablar en sueños se conoce también con el término de somniloquia y si se repite con mucha frecuencia, hay que prestarle atención, ya que pude deberse a algún malestar físico o derivar en trastornos del sueño algo más importantes, como el sonambulismo o los terrores nocturnos.

DEJARLE LLORAR SIN HACERLE CASO

Ventajas

- Según algunos educadores, el niño se dará cuenta en seguida de que no merece la pena llorar antes de dormir y en pocos días se acostará sin rechistar.

Inconvenientes

- En contra de lo que pudiera parecer, la resistencia de un niño que llora puede superar la paciencia de los padres, que tras dos horas de berrinche decidirán ir a consolar al pequeño.

- Con esta actitud, el niño, se pone triste porque sus padres se marchan, se siente abandonado y la noche siguiente se resistirá todavía más a acostarse por temor a quedarse solo.

Es fácil decir que se puede aprender a dormir igual que a cualquier otra cosa y que con un entrenamiento bien planteado, todos los niños serán capaces de irse contentos a la cama y dormir de un tirón toda la noche, pero la realidad habitual es que unos padres demasiado cansados recurran a llevarlo a su cama, acompañarlo o darle cualquier capricho para no oírlo llorar.

ACOMPAÑAR AL PEQUEÑO EN SU HABITACIÓN HASTA QUE CONCILIE EL SUEÑO

Ventajas

- Los padres se ahorran el disgusto de oír el llanto del niño.

Inconvenientes

- Al niño le costará conciliar el sueño más tiempo porque tratará de permanecer despierto para cercionarse de que sus padres continúan a su lado.

- Si el pequeño se desvela por la noche, los padres tendrán que volver a acompañarle hasta que el sueño le venza.

PERMITIR QUE SE QUEDE EN EL SALÓN CON LOS ADULTOS Y QUE SE DUERMA EN EL SOFÁ

Ventajas

- No hay ni un momento de tensión cuando llega la hora de acostarse.

Inconvenientes

- Quizá a los adultos, fatigados de toda la jornada, les agote aún más tener a un pequeño correteando a su alrededor que reclama más atención que durante el día por el exceso de cansancio.

- Hasta bien mayor se negará a acostarse y se quedará todas las noches con sus padres en la sala de estar.

UNA POSTURA INTERMEDIA

Como lo que parece claro es que el niño lo que más teme es permanecer alejado de sus padres, habrá que buscar alguna solución para que llegue a

El asunto del sueño es algo que afecta especialmente a la vida cotidiana de los padres, pero tampoco se trata de obsesionarse. Ten en cuenta que es normal que un niño se desvele alguna vez, que llore o no quiera irse a la cama, que desee alargar el contacto con sus padres o que, en alguna ocasión, los padres le lleven con ellos a la cama. No hagas dramas.

comprender que siempre que les necesite estarán con él y que se sienta acompañado aun estando solo. Pasos aconsejados:

- Acostad al pequeño con cariño, siguiendo los rituales que hayáis inventado (leer un cuento, darle unos besos, colocar su muñeco favorito a su lado), y despediros hasta la mañana siguiente.

- Quedaos cerca de su habitación para escuchar qué hace. Puede que proteste unos segundos o que comience a llorar cada vez más. En este último caso, volved a entrar en su dormitorio, decidle que no se ponga triste porque estáis muy cerca de él y volved a salir.

- Si empieza a llorar de nuevo, no le dejéis más de cinco minutos solo. Volved a entrar en la habitación para que os vea. Quizá quiera un sorbito de agua. Después marchaos.

- Repetid la operación tantas veces como sea necesario.

Inconvenientes

- Es posible que tengáis que repetir la maniobra varias noches hasta que vuestro hijo comprenda que no ocurre nada por irse a dormir, ya que siempre que os llame acudiréis a su lado.

Ventajas

- En pocos días habrá aprendido a quedarse solo en su dormitorio sin lamentos ni berrinches.

- La familia olvidará la tensión que supone la hora de irse a la cama.

- Los padres tendrán tiempo para relajarse tras la fatiga de toda la jornada y afrontarán el día a día mejor.

Disminuir los líquidos en las cenas no impide que se haga pis, pero sí puede dar lugar a que el niño se despierte en mitad de la noche porque tiene sed. Los niños que se despiertan por las noches no lo hacen a propósito, así que no le regañéis..

LAS PESADILLAS

Cuando un niño se despierta llorando asustado es que ha tenido una pesadilla. Los padres deben mantener la calma y transmitir sosiego al pequeño para que recupere la confianza y vuelva a dormirse cuanto antes alejando sus temores.

IMPOSIBLE EVITAR LOS SUEÑOS NEGATIVOS

Aunque no se sabe a ciencia cierta por qué tenemos sueños negativos, los expertos los relacionan con las preocupaciones y el estrés. Es imposible educar a un niño para que no tenga pesadillas. Lo que sí se puede hacer es darle cariño y confianza para que se le pase el miedo cuanto antes o evitar palabras, escenas o películas que le impresionen.

CAUSAS

El origen de las pesadillas puede ser muy variado. En el caso de los pequeños, como en los adultos, las preocupaciones son los probables causantes. Vale la pena detenerse a pensar y observar qué puede haber cambiado en el entorno de vuestro hijo que le provoca temores y malos sueños. Veamos algunos lugares comunes:

- La llegada de un hermano o su próximo nacimiento.
- La vuelta al trabajo de la madre.
- El viaje de uno de los padres.
- El cambio de niñera.
- El inicio de la guardería.
- La presión por las nuevas comidas.
- El adiós al pañal.
- El internamiento en un hospital durante unos días.
- Una nueva casa.
- El cambio de la cuna a la cama.

Quizá a primera vista parezca que se divierte mientras aprende a utilizar los cubiertos en la mesa, pero es posible que los enfados de los adultos por las inevitables manchas le creen pánico.

Los cambios en la vida o en la rutina de un niño pueden provocarle desazón y preocuparle tanto que termine teniendo pesadillas. Tener un nuevo hermanito, aunque sea una fuente de alegría y un amigo para jugar, puede despertar celos y temores en el niño a pesar de quererle mucho. Estos sentimientos enfrentados se pueden traducir en sueños agitados.

CÓMO ACTUAR ANTE UNA PESADILLA

El niño se despierta en mitad de la noche, agitado, sudando, llorando y con los ojos como platos. Es muy pequeño para explicar correctamente qué le pasa, pero sabes que es una pesadilla. ¿Cómo afrontarla?

- Acudid junto a vuestro hijo en cuanto lo oigáis llorar. Si acaba de empezar a lamentarse, vuestra compañía le tranquilizará y se dormirá en pocos minutos. En cambio, si le dejáis solo llorando mucho tiempo, el pánico se apoderará de él y tardaréis más tiempo en lograr que se le pase.

- Habladle con suavidad y acariciadle un poco. Vuestro contacto es el mejor calmante que se ha inventado hasta la fecha.

- En el día a día, intentad volver atrás en los cambios que se hayan introducido en su vida. Que en las cenas necesita un biberón de consuelo, no se lo neguéis. Que no consigue mantenerse seco sin pañal, no actuéis con severidad. Necesita cariño extra y por qué no tratarle como si fuera más pequeño de lo que es. Es una medida temporal.

BURLARSE NO ES UNA BUENA IDEA

Casi todos los niños tienen pesadillas. Sed comprensivos y no hagáis bromas a costa de sus miedos. Para él es real; si le ridiculizáis o restáis importancia al problema, se sentirá peor.

A los niños que a veces sufren terrores nocturnos la fiebre o un medicamento pueden provocarles uno de sus episodios. Tenedlo en cuenta y prevenidlo.

Todas estas no son más que algunas de las razones que pueden estar estresando a vuestro hijo sin que os hayáis dado cuenta, porque durante el día el pequeño apenas ha manifestado su preocupación por las mismas.

RECOMENDACIONES

- Como ya se ha dicho, el primer paso es tratar de descubrir qué nuevas preocupaciones han surgido en la vida de vuestro hijo. A veces basta con preguntarle directamente.

- Armarse de paciencia. En nada cambiará la situación que os enfadéis y le regañéis cuando se despierta por las noches.

- Si os quiere contar algo, escuchadlo. Dadle la importancia que el niño le da. Jamás os burléis de sus miedos.

- Ofrecedle razones que pueda entender que nunca le abandonaréis, sino que siempre puede contar con vosotros y vuestra protección. Necesita esa protección.

Solo un máximo del 4% de los niños desarrollan alguna vez terrores nocturnos y muchas veces van asociados a episodios de fiebre, por lo que no se les debe dar mayor importancia. En casos más graves, pueden asociarse con el sonambulismo y muchas veces ambas patologías tienen un componente genético.

TERRORES NOCTURNOS

Nada tienen que ver con las pesadillas, aunque a veces se confundan con facilidad. Cuando un niño padece terrores nocturnos, está exteriorizando alguna emoción de temor.

SÍNTOMAS PARA IDENTIFICARLOS

- En medio de una crisis de terror nocturno da la sensación de que el niño está despierto y, sin embargo, no lo está. Incluso aunque lo encontréis sentado en la cama, no está consciente.

- Ignorará todas las maniobras de consuelo que intentéis porque no se da cuenta de lo que ocurre en el exterior, fuera de su mente. Está inmerso en su sueño.

- En el más inquietante de los casos puede que la presencia de los adultos se incorpore a su terror y les grite para que se alejen.

- También puede ocurrir que incorpore al adulto a su terror y crea que están juntos frente a lo que le atemoriza.

CÓMO ACTUAR

Son pocos los niños que los padecen, pero si vuestro hijo es uno de ellos, no tenéis por qué alarmaros. Para tranquilizaros, deberíais consultar con el pediatra. De todas maneras, estas son las actuaciones más aconsejables ante una situación así:

La duración de un terror nocturno no suele pasar de los 10 minutos. Si el niño lo permite, abrazarle es una solución para que vaya calmándose de forma paulatina hasta volver a quedarse dormido plácidamente. Si los terrores son muy frecuentes y no están asociados con ninguna enfermedad o causa común, es recomendable consultar con el pediatra.

- **No tratéis de que el niño entre en razón discutiendo con él.** Está inconsciente y no se da cuenta de lo que ocurre fuera de su cabeza. Como mucho habladle cariñosamente. A su inconsciente poco a poco llegará la sensación del calor de vuestra compañía.

- **Si grita amenazas e insultos contra vosotros, no os enfadéis.** No se dirigen a sus padres, sino a lo que en ese momento está percibiendo como una amenaza.

- **Si se levanta de la cama y se pone a correr,** sujetadle con cuidado para evitar que se golpee.

- **Si el pequeño lo permite, cogedlo en brazos y acunadlo.**

- **No intentéis que se despierte.** Lo más probable es que en seguida se vuelva a quedar dormido tan tranquilo. El momento de la crisis os parecerá una eternidad, pero seguramente solo habrá durado unos minutos.

- **Si se despierta, no le deis una importancia exagerada.** Contadle que ha tenido una pesadilla y ya está. Él estará sorprendido de encontrarse despierto con vosotros y puede que incluso en una habitación distinta de donde se acostó.

- **Al día siguiente comportaos con normalidad.** Lo más seguro es que a la mañana siguiente el niño padezca una amnesia con respecto a lo ocurrido. No tiene sentido atemorizarlo contándole qué ha pasado, es mejor no hablar de ello y comportarse como si nada hubiera ocurrido. No debéis preocuparos porque los terrores nocturnos no le dejarán secuelas y regresará a su vida normal sin sufrir ningún trauma.

Si el terror nocturno deriva en sonambulismo, es posible que el niño se siente en la cuna, se frote los ojos y trate de salir a caminar por la casa repitiendo acciones cotidianas. No lo despertéis, basta con reconducirlo suavemente a la cama.

DE LA CUNA A LA CAMA

En algún momento tomaréis la decisión de trasladar al niño de su cuna a una cama. ¿Cómo podéis hacer que ese cambio sea fácil e incluso deseado por vuestro hijo? Es sencillo si sabéis explicárselo y despertar en él las ganas de trasladarse. Será una novedad más en su vida, que, además, le aportará confianza en sí mismo.

LA NOCHE DEL CAMBIO SE APROXIMA

Un día os asomaréis a la cuna de vuestro hijo y os daréis cuenta de que le queda poco tiempo de dormir en ella. Así pues, más vale que empecéis a pensar en el próximo cambio a una cama.

Quizá os preocupe que se niegue a acostarse en su nuevo lecho o que se caiga al suelo. Pero con una mentalización previa del pequeño y un mínimo de seguridad, sortearéis los problemas fácilmente. Acometed este cambio con buen humor.

Algunos niños desearán cambiarse de la cuna a la cama por imitación de sus hermanos mayores, pero a otros no les ilusionará la idea, o una cama tan grande les dará miedo. Poner una barrera protectora o una cama con borde para evitar que pueda caerse le dará mucha seguridad... y a vosotros también.

CÓMO HACER QUE EL NIÑO DESEE DORMIR EN CAMA

Valen la pena todas las molestias que os toméis antes de cambiarle de la cuna a una cama. Es posible que vuestro hijo, si tiene hermanos mayores, ya os lo haya pedido. En este caso el traslado será sencillo, y más si la cama se encuentra en una habitación compartida.

Sin embargo, por si acaso, es aconsejable seguir algunos pasos:

- Preparad un lugar de la casa especial para el pequeño, tanto si es un dormitorio para él solo como si se trata de una zona de una habitación compartida. Pedidle que os diga dónde quiere colocar sus juguetes y explicadle que ese es su sitio particular y que nadie puede estar en él sin su permiso.

- Una vez colocada la cama en ese espacio especial, sería interesante ponerla lo más atractiva posible. Seguramente podéis conseguir unas sábanas o una colcha decoradas con sus personajes de ficción favoritos. Si es factible, también sería positivo haceros con un par de pijamas que le gusten mucho y que podrá estrenar cuando empiece a dormir en la cama nueva.

- Cuando el pequeño se levante por las mañanas, arreglad la cama de manera que cuando llegue la hora de volver a dormir, esté tan bonita que le apetezca mucho regresar a ella. Decidle que ya es mayor y por eso necesita una cama nueva.

Si un niño debe dejar su cuna a un hermano menor, en ocasiones puede funcionar ofrecerle la idea de que por ser el mayor es su privilegio dormir en una cama grande, mientras que su hermanito debe conformarse con una cuna que, además, está vieja y usada. Eso le hará sentirse importante y aceptará mejor el cambio.

La habitación con la nueva cama debe ser lo más atractiva posible para el niño; debemos dejarle elegir los juguetes y los adornos que le resulten familiares y cercanos para evitar miedos añadidos.

- Si os preocupa que se caiga de la cama, podéis poner unos protectores laterales o algún colchón en el suelo para que no se haga daño con la caída.

OBJETOS PARA HACER DESEABLE UNA CAMA INFANTIL

- **Una mesita de noche o una estantería al lado de la cabecera.** Disponed en ella algunos de sus libros e incluso juguetes que desee tener cerca. De este modo, por las noches antes de dormir o por las mañanas cuando se despierte tendrá a mano algo con lo que entretenerse sin necesidad de levantarse.

- **Una luz.** Es importante que sea lo suficientemente segura como para que la pueda encender y apagar él mismo. Le servirá para hojear sus cuentos o jugar un poco antes de dormir. No la mantengáis encendida toda la noche. Si deseáis un poco de iluminación en el dormitorio, es preferible que coloquéis otra de poco voltaje.

- **Música.** Podéis optar por algún juguete o caja de música con una melodía agradable. También son interesantes los reproductores de música con discos de canciones o cuentos.

- **El compañero de sueños.** No puede faltar para abrazarle por las noches. Si se contenta con un único amigo, muy bien, pero a lo mejor quiere dormir con cinco o seis compañeros. ¿Por qué negárselos? Siempre que sean blanditos para que no le lastimen si se mueve en la cama mientras duerme, no hay inconveniente.

- **Imágenes agradables.** En la pared más cercana o en el techo que hay sobre su cama se pueden colocar fotos de seres queridos: sus padres, sus abuelos, una mascota o sus personajes favoritos de ficción.

- **Un medio de comunicación con los adultos.** En este caso vale desde dejar la puerta del dormitorio abierta hasta colocar en su mesilla un intercomunicador infantil.

¿QUÉ HACER SI LLEGA UN HERMANO PEQUEÑO?

Si la madre está embarazada y se aproxima el momento de pasar al niño de la cuna a la cama, lo ideal es hacerlo antes de que el nuevo bebé nazca. De este modo se evita darle la sensación al niño mayor de que se le saca de la cuna para poner en ella a su hermanito. Bastantes problemas pueden surgirle con la llegada de un bebé como para no evitarle este disgusto.

Si el niño lleva varios meses durmiendo en una cama, no le dará importancia a que el nuevo miembro de la familia se acueste en una cuna.

VISITAS NOCTURNAS A LOS PADRES

La idea central para evitar que se baje de la cama y vaya a donde están sus padres es que no se le ocurra porque no es necesario. Por eso es importante que vayáis a su lado cuando os llame en vez de dejarle llorar.

Ahora está libre de barrotes y obstáculos. Si os necesita, ¿qué le impide de bajarse de la cama para encontrarse con vosotros? Nada, excepto la certeza de que no tiene por qué hacerlo, ya que siempre os tiene cuando os reclama.

Debéis ser conscientes de que como empiece a levantarse de la cama por las noches para ir a veros, pronto lo convertirá en una costumbre. Impedídselo, con cariño, pero también con firmeza.

EVITAD ACTITUDES POCO PRÁCTICAS

- No le dejéis que se asome al salón donde están los adultos y pase unos minutos haciendo monerías.

- Tampoco os acostéis con ellos durante un rato. Al moveros para levantaros podría despertarse. Entonces se levantaría e iría a buscaros.

HABITACIÓN PARA DOS

Si el pequeño ha de compartir habitación con algún hermano, siempre que sea posible, evitad las literas. Una caída desde la de arriba puede terminar en un accidente considerable.

Cuando tengáis que reprender al niño por algo, intentad no castigarle enviándole a la cama para que no la asocie con un mal rato.

Tratad de que alrededor de su cama únicamente ocurran cosas agradables, de tal modo que llegue a considerarla su refugio preferido.

UNA DIETA EQUILIBRADA

Atrás quedaron los clichés sobre salud infantil que identificaban a los niños delgados con una salud débil y a los rollizos con el estado físico más deseable. Las cantidades de alimentos que deben ingerir los pequeños poco se parecen a las medidas que los adultos tenemos en mente.

ANTE TODO LA SALUD

Si un niño está delgado, únicamente quiere decir que tiene una constitución más fina que otro más rollizo. Cuando los niños son pequeños saben perfectamente qué cantidades de alimentos les demanda su cuerpo, y como no suele coincidir con la apreciación de los adultos, el resultado es que tratamos de darles de comer más de lo que necesitan.

Esto tampoco quiere decir que haya que pasarse al otro extremo; es decir, que los padres se obsesionen tanto por la alimentación que tengan a su hijo a dieta para que no consuma ni una caloría más de la debida.

El único índice objetivo de que un niño come lo que necesita es que su crecimiento es regular y normal para su edad. Comer de todo es la única dieta razonable con los niños, vigilando mínimamente y sin ansiedad que a lo largo de una semana ha comido fruta, verdura, legumbres, pasta o arroz, carne, pescado, etc.

Lo más sensato será dejar que sea el apetito del pequeño el que os guíe a la hora de calcular las cantidades de comida que debéis ofrecerle.

UNA ALIMENTACIÓN CORRECTA

Una dieta equilibrada es la que abarca una gran variedad de productos que se toman a lo largo de varios días seguidos. El organismo humano es lo suficientemente hábil como para ir aprovechando de cada alimento los elementos que va necesitando. Así pues, si en la comida el niño se ha quedado escaso de hidratos, su cuerpo será capaz de completar la cantidad que necesita con los de la merienda.

Lo mismo ocurrirá con la comida de un día para otro: si el día uno el niño toma poca vitamina C, la compensará con la que ingiera el día dos o el día tres. Lo cierto es que aunque le deis cada mañana el zumo de una naranja, en cada ocasión su organismo asimilará únicamente la cantidad de vitamina C que le haga falta, que nunca es exactamente igual.

En conclusión, lo que hay que intentar es variedad a lo largo de toda una semana, por ejemplo, sin fijaciones rígidas en torno a los gramos de cada producto que tiene que tomar en todas y cada una de las comidas de cada día.

LA PRUEBA DE QUE COME BIEN

Para aseguraros de que vuestro hijo está comiendo bien, los padres podéis observar si el pequeño crece adecuadamente. Si aparte de los controles periódicos a los que le someterá el pediatra queréis medirle en

TRUCOS PARA ABRIR EL APETITO

Haced a vuestro hijo partícipe de cada actividad que se despliega en torno a la comida. Para él no solo será un juego divertido, sino que se sentirá valorado al verse implicado en vuestros quehaceres. Estas son algunas de las cosas que el pequeño puede hacer con vosotros:

- Poner la mesa.
- Servirse él mismo.
- Preguntarle sobre sus gustos culinarios.
- Que invente algo para que la mesa esté más bonita (unas flores, un lazo, un jarroncito).

EL PLATO, MEDIO LLENO

A algunos niños les agobia ver mucha comida en un plato. Si es el caso de vuestro hijo, probad a servirle la misma ración que hasta ahora en un plato muy grande. Tendrá la sensación de que es menos cantidad.

vuestra casa, escoged siempre el mismo lugar y la misma cinta métrica. También es buena idea medirle siempre en la misma época del año. Pasos aconsejados:

- Colocad al pequeño descalzo con los pies juntos apoyado contra una puerta o una pared.

- Aseguraos de que mantiene la cabeza recta y mira de frente sin mover la cabeza.

- Poned sobre la cabeza un plano rígido (por ejemplo, una regla ancha o un cuaderno) y haced una señal con un lápiz en la pared.

- A continuación anotad al lado de la marca la fecha.

Al cabo de los años tendréis un curioso registro de los avances en crecimiento de vuestro hijo, al que seguro que le admirará comprobar la altura de las marcas de cuando era más pequeño.

¿Y SI NO QUIERE COMER NADA?

Evidentemente, no es igual tener poco apetito que negarse a comer. Entonces será mejor buscar las posibles causas de ese comportamiento:

Se encuentra mal. Puede que esté enfermo, así que es normal que no le apetezca nada. Tomadle la temperatura y tratad de que os diga si le duele algo. Ante cualquier sospecha de enfermedad acudid al pediatra.

Tiene sueño. Si está muy cansado tampoco tendrá hambre. Cuando la jornada ha sido excepcionalmente agotadora, el pequeño necesita dormir más que comer. No os empeñéis en que tome algo a la fuerza. Es preferible que primero descanse y deje la comida para más tarde e incluso para el día siguiente.

No existen alimentos prohibidos para un niño, salvo que se trate de alguien alérgico; pero es prudente retrasar lo más posible algunas comidas poco saludables, como los refrescos carbonatados o la bollería industrial, que aportan grasas y calorías, pero no nutrientes. Enseñémosles a comer sano.

Trata de llamar la atención. Algo ha ocurrido que le preocupa y se siente desdichado. Quizá en casa haya nerviosismo ante cualquier acontecimiento inesperado o novedoso. Entonces lo más aconsejable es, una vez más, la paciencia: dedicadle durante unos minutos toda la atención que podáis. Sentaos con él a jugar, leer o charlar. Veréis cómo después se sienta a la mesa tan contento dispuesto a comer de buena gana.

ALIMENTOS POCO RECOMENDABLES

En realidad ningún alimento, en principio, es perjudicial para un niño de dos o tres años. Sin embargo, sí es recomendable esperar a que crezca algo más antes de ofrecerle determinados productos:

- Marisco, pescado y carnes crudas.
- Bollería industrial.
- Refrescos con colorantes.
- Frutos secos.
- Salsas fuertes, como la mostaza y el kétchup.
- Comidas picantes.

Evitad el exceso de fiambres, los platos demasiado salados y los dulces edulcorados en demasía.

UNO MÁS EN LA MESA

Cuando un niño identifica la comida con momentos agradables de la jornada, está preparado para empezar a aprender normas de comportamiento en la mesa. Sin embargo, la actitud de sus padres debe mantenerse flexible y tolerante porque aún está en proceso de aprendizaje. Cualquier cambio que conlleve enfados y castigos puede echar a perder el trabajo realizado hasta ahora.

APRENDER MODALES

Cuando los padres deciden incorporar a su hijo a las comidas familiares, deben conservar la paciencia y el buen humor para que la tarea se simplifique al máximo. Una preocupación excesiva por la suciedad de un mantel delicado puede hacer de la comida un momento de tensión que se podría evitar fácilmente colocando un mantel fácil de limpiar o uno individual para el niño.

Si los padres animan a su hijo a valerse por sí mismo en la mesa, en poco tiempo conseguirán unos resultados sorprendentes.

No hay nada más estimulante para un niño que formar parte de la familia a la hora de comer. Hay que cuidar los detalles y poner un menaje similar o igual al de los adultos, hacerle partícipe y confiar en que poco a poco va a ir adquiriendo autonomía. Predicad con el ejemplo porque él va a tratar de imitar vuestra forma de comer.

¿CÓMO ENSEÑARLE A COMPORTARSE?

Ofrecer los mismos elementos a toda la familia. Para que un niño aprenda a comer con cubiertos de verdad, lo ideal es darle precisamente cubiertos iguales a los de los demás comensales en vez de seguir con sus cubiertos de plástico. Eso, claro, siempre que el pequeño quiera, sin forzarle. Puede que desee seguir utilizando los suyos durante un tiempo. Tened cuidado con los cuchillos.

Dar ejemplo. Los padres tienen que esforzarse por comer correctamente si desean que sus hijos lo hagan. Es mucho más efectivo un buen ejemplo que una reprimenda.

Nuevos alimentos. Antes de servirle un gran plato con una comida nueva, dejadle que pruebe un poco y decida si le gusta y quiere más o no. Cuando a un niño se le plantean gustos novedosos con la obligación de tomarse todo lo que se le sirve, nunca estará dispuesto a probar nuevos sabores.

Tentarle con vuestros platos. Cuando queráis que vuestro hijo se anime a comer un alimento, incorporadlo a vuestra mesa. Por ejemplo, si deseáis que tome queso, poned un platito en la mesa con unos trozos y picad todos de él. O si pensáis que debería tomar fruta, servírosla también vosotros.

COCINAR PUEDE SER DIVERTIDO

Otra fórmula para animar a vuestro hijo a comer es enseñarle a cocinar. Puede empezar por cosas tan sencillas como colocar los trocitos de queso en el plato que se va a servir en la mesa. También puede adornar el arroz blanco con una cucharada de salsa de tomate. Hay infinidad de cosas que vuestro pequeño puede hacer y que le harán sentirse orgulloso e implicado en las tareas culinarias.

Animaos con una receta de galletas fácil. El pequeño puede moldearlas con sus propias manos y cuando estén listas, le sabrán mucho mejor que las compradas.

También puede colaborar de algún modo a la hora de hacer la compra, porque tanto ese primer paso como el de ponerse a cocinar le acercan más a los alimentos y le hacen la comida más atractiva.

ADAPTAR LOS MENÚS AL PEQUEÑO

Desde el segundo año de vida un niño es capaz de comer la mayoría de los platos que se preparan en un menú familiar casero. Por lo tanto, cada vez será más habitual que tome lo mismo que el resto de la familia sin necesidad de preparar recetas especiales para él.

Si en casa hay carne o pescado, el pequeño podrá comerlos siempre que os preocupéis de cortárselos en trozos muy pequeños. Y un plato de verduras se puede triturar hasta conseguir una crema.

La comida nunca puede considerarse un castigo ni una recompensa.

RESPETAR SUS GUSTOS

Antes de empeñaros en que coma lo que se le ha servido, tened en cuenta que el niño de dos y tres años es pequeño y que con el tiempo irá ampliando sus preferencias gastronómicas.

- Un producto que no le gustó cuando lo probó puede que lo coma satisfecho un par de meses después.
- Si se niega a tomar leche caliente, ¿para qué insistir? Cambiádsela por yogur o queso.
- A lo mejor le hace ascos a un puré de verduras. Probad a echarle queso rallado por encima.
- Un plato feo provoca el rechazo no solo de los niños, sino también de los adultos, así que llamará más su atención si se sirve bonito. ¿Qué cuesta poner el arroz blanco en un vaso y desmoldarlo en el plato como si fuera un flan? Y queda más atractivo que si se pone amontonado sin más.

Los niños de dos a tres años pueden comer de todo, pero debemos facilitárselo desmenuzando bien la comida. Normalmente, les será más sencillo pinchar los alimentos más sólidos con un tenedor y comer las cosas más pequeñas con cuchara.

Galletas para hacer con niños

2 tazas de harina
Una taza de azúcar
Un huevo
60 g de mantequilla o margarina
Una cucharada de esencia de vainilla (opcional)
Medio sobre de levadura
Una taza de fideítos de chocolate
Una pizca de sal

En un cuenco se bate el azúcar con la mantequilla. Cuando esté todo bien batido, añadimos el huevo y mezclamos bien. A continuación, incorporamos la harina, la sal, la levadura y la vainilla. Mezclamos todo hasta que quede una masa uniforme.

Formamos bolitas de masa con las manos y luego las aplastamos.

Las galletas se colocan bien separadas en una bandeja de horno previamente engrasada con mantequilla. Incrustamos fideos de chocolate en las galletas. Hay que precalentar el horno a 180 ºC y seguidamente hornear las galletas durante unos 15 minutos.

Imprescindibles para una fiesta infantil

Conejo de queso

Una loncha grande de queso suave
Un rábano
Lechuga

Si quieres decorar una menestra de verduras o una ensalada para que resulte más atractiva, recorta en la forma de la cabeza de un conejito una loncha de queso y colócala encima. Puedes hacer los característicos morritos laminando un rábano y decorar con los trocitos de lechuga que serán los ojos, la nariz o los bigotes.

Panecillos de ratón

500 g de harina
Un sobre de levadura
Una cucharada de sal
2 tazas de agua
2 cucharadas de aceite
Uvas pasas

En un bol, mezcla la harina, la levadura y la sal. Haz un hueco dentro y disuelve los ingredientes con una taza de agua caliente. Cuando se haya emulsionado, añade el aceite y la otra taza de agua y vuelve a amasar. Haz bolitas de masa a las que puedes dar la forma de un ratón (los ojos son dos uvas pasas) y déjalos reposar media hora. Hornéalos hasta que estén dorados y al pinchar con un palillo, salga limpio.

El rey y la reina de la fiesta

2 rebanadas de pan de molde
2 lonchas de jamón de York
Medio rábano o pimiento rojo en lonchas
Medio pepino
Una loncha de queso
Tallos de apio

Un sándwich especial para un cumpleaños en el que la base es una loncha de jamón sobre el pan de molde, que decoraremos como si fuera el rostro del rey y la reina: la boca con una lámina de rábano (también da buen resultado el pimiento rojo), los ojos con rodajas de pepino, las coronas de queso recortado y el pelo con tallos de apio.

Tortitas de ardilla

250 g de harina
½ l de leche
2 huevos
Una pizca de sal
Una cucharada de aceite
Frambuesas
Un kiwi

Hacemos unos crepes mezclando todos los ingredientes, menos las frutas y el aceite, en un vaso. Dejamos la masa reposar media hora y después freímos con el aceite en una sartén, una cucharada de masa cada vez hasta hacer tortitas. En un plato, recortamos las tortitas para que tomen la forma de un animalito que les guste y hacemos la nariz y los ojos de frambuesa y la boca con una rodaja de kiwi.

Desde luego, entre una *pizza* precocinada o congelada y una cuya masa haya sido elaborada en casa, es mejor esta última, aunque no constituye ningún peligro comer la precocinada de vez en cuando. Los platos ya preparados y los fritos industriales deberían ser solo una solución de urgencia esporádica.

La merienda tradicional a base de fruta, lácteos o un simple bocadillo es la mejor manera de reponer la energía por la tarde. Además, el bocadillo es fácil de transportar para llevar al parque o al colegio.

LOS ALIMENTOS PRECOCINADOS DE LOS ADULTOS Y LOS REFRESCOS

Los platos precocinados no son perjudiciales en sí, pero tienen menos cualidades nutritivas que los frescos. Además, muchos de los enlatados y liofilizados aportan un exceso de sales y conservantes poco beneficiosos para el organismo de un niño pequeño.

Algo parecido puede decirse de los zumos de frutas preparados: demasiados azúcares y conservantes y menos vitaminas naturales en comparación con un zumo exprimido en casa con una licuadora. Mejor, además, tomarlos recién hechos.

Si algún día los padres por cuestión de tiempo necesitan dar a su hijo una comida preparada, es preferible optar por las que se venden especialmente dirigidas a los niños.

LA MEJOR MERIENDA

La merienda más apropiada para un niño de dos y tres años es la más natural que a sus padres se les ocurra y al pequeño le guste. Aprovechad que aún no ha caído en las redes de la publicidad para evitar darle bollería industrial.

Un bocadillo de pan tierno con pavo, jamón, mermelada e incluso chocolate es mucho más sano que un bollo empaquetado atestado de grasas saturadas, calorías y escaso de nutrientes. Y, además, suele ser más barato, por lo que es la mejor opción.

La fruta también es una solución. Un plátano, por ejemplo, si se va a salir a la hora de merendar, es fácil de transportar, pelar y comer. El yogur y la leche con galletas, en cambio, pueden ser una completa merienda para tomar en casa.

LA OBESIDAD

La mejor manera de saber si vuestro hijo tiene sobrepeso es llevando un control riguroso de las curvas de su crecimiento y peso. Si a lo largo de los meses la curva de peso aumenta mucho más deprisa que la del crecimiento, entonces es conveniente preguntarle al pediatra su parecer.

LAS APARIENCIAS ENGAÑAN

El aspecto exterior de un niño puede dar lugar a equívocos. Una cara redonda y una tripa sobresaliente no son necesariamente indicios de obesidad. Muchos niños pequeños tienen estómagos prominentes y sonrosados mofletes y, sin embargo, no se les puede considerar gordos.

Únicamente se podría pensar en la posibilidad de un problema de obesidad si las curvas del peso y el crecimiento no ascienden de manera parecida, sino que la del peso avanza más rápido que la del crecimiento, y siempre bajo vigilancia pediátrica.

SER GRANDE NO ES ESTAR GORDO

Esta es una premisa a tener en cuenta. Si vuestro hijo nació con un tamaño por encima de la media y ha ido creciendo y engordando a un ritmo superior al de la media, no tengáis duda: el niño es grande y siempre lo será. Eso no quiere decir que esté gordo. Simplemente, su estructura física es mayor que la de la media.

Nunca hay que obsesionarse con cuestiones de tallaje y peso. Un niño puede ser grande o estar algo rellenito sin comprometer su salud, solo es importante llevar un control por el pediatra y fomentar una alimentación equilibrada y variada. Si hubiera algún problema, el médico es quien mejor nos aconsejará.

ALGUNAS MEDIDAS SALUDABLES

Disminuir la ingesta de grasas. Dentro de lo posible, el niño no debería notar cambios radicales en su alimentación. En su dieta diaria se pueden sustituir los fritos. Por ejemplo, las patatas fritas como acompañamiento pueden reemplazarse por un puré de patatas cocidas, que tiene tres veces menos calorías. Los hidratos que aportan las croquetas pueden cambiarse por los de la pasta o el arroz. En este último caso habrá que mirar bien con qué los preparamos: el aporte calórico de una salsa de tomate natural es inferior al de la salsa de tomate de lata.

Hábitos diarios. Deberíais planteaos dar mayores posibilidades a vuestro hijo para que se mueva. Cuando va de paseo en la sillita, si os pide bajar, dejadle; además, podéis animarle a que empuje él solo el cochecito. En casa, cuando juega, permitidle que lo haga por donde quiera sin limitarle a permanecer en una única habitación. Tratad de buscar actividades que le estimulen a moverse. De este modo, consumirá las grasas que haya ingerido en vez de acumularse inútilmente en su organismo. Es posible quemar lo que sobra día a día.

No debemos cometer el error de dar meriendas demasiado dulces o calóricas a los más pequeños. Si las presentamos con un poco de imaginación, alimentos ligeros y saludables (frutas, verduras, lácteos, etc.), pueden resultar tan atractivas como un bollo de chocolate, con la diferencia de que estamos educando su paladar y su calidad alimenticia.

Vigilar las bebidas. Cuando tenga sed, dadle agua en vez de leche. Si el niño toma la cantidad diaria de lácteos que necesita en las comidas, está de más añadir grasas cuando se nota sediento.

Reducir azúcares. Los zumos envasados, que aportan un exceso de azúcar totalmente prescindible, tampoco son lo mejor para quitar la sed. Otro tanto ocurre con la bollería industrial, cuyas recetas abusan de los azúcares y de las grasas.

IDEAS PARA ALIGERAR LAS COMIDAS

- Casi todos los alimentos que se fríen se pueden preparar a la plancha. Al emplear apenas unas gotas de aceite disminuye el aporte calórico del plato.

- También hay muchos alimentos que en vez de fritos quedan muy ricos e igual de apetitosos si se doran en el horno.

- Cuando vaya a ponerse mantequilla en el pan hay que tratar de que sea poca cantidad y se extienda bien.

- Se puede sustituir la mantequilla del pan por queso fresco desnatado.

- El agua servida en un vaso bonito con un par de cubitos de hielo y una pajita de colores puede ser tan divertida como un refresco, y tiene la ventaja de que no engorda ni una caloría.

- Si en vez de un dulce grande le ponéis cinco pequeños, le parecerá que ha tomado un postre o una merienda enorme.

PICAR ENTRE HORAS

Por regla general los niños tienen apetito entre comida y comida, y la mayoría de las veces realmente necesitan tomar algo por el desgaste físico y mental al que se someten a diario. El asunto es educarles para que coman si tienen hambre de verdad y no solo por glotonería de algún producto que les guste. Por ejemplo, si saben que en casa se ha comprado una caja de bombones o un paquete de galletas de mantequilla, es posible que el niño esté constantemente pidiendo de comer eso que tanto le gusta.

Para estar seguros de que los niños pueden tomar algo si tienen apetito antes de la hora de la comida, se pueden poner a su alcance alimentos fáciles de tomar y dietéticamente saludables. Una caja de galletas María, un cuenco con plátanos y manzanas, pan o un bol de plástico con trocitos de queso en una zona del frigorífico accesible al pequeño son alternativas sanas a las tentadoras golosinas.

A VUELTAS CON LOS DULCES

Por muy cuidadosos que hayáis sido con respecto a los dulces en casa, cuando el niño va al colegio, ve lo que sus compañeros comen y los problemas pueden empezar. En principio la actitud que debemos adoptar debe ser de cierta tolerancia. Si os ponéis estrictos en exceso con este tema, vuestro hijo terminará por obsesionarse y convertir los dulces en uno de sus objetivos prioritarios. Así pues, permitidle que coma de vez en cuando alguno.

También podéis negociar con él cuando vais de compras juntos y convencerle de que en vez de chucherías elija algo más razonable, como un bizcocho artesano de la panadería.

Mostradle con el ejemplo que una brillante manzana está tan buena o más que una chocolatina, y que un yogur natural con trocitos de frutas naturales servido en una bonita copa es tan apetitoso como una *mousse* de chocolate.

Si cuando compráis una bolsa con dulces el niño quiere comérselos todos, podéis hacer una cosa: antes de que vea el regalo abridlo y dividid su contenido en varias bolsas más pequeñas. Luego ofrecedle una sola y el resto guardadlo. De este modo se quedará tan contento y vosotros os ahorraréis un mal rato.

NO PODEMOS OLVIDAR

Gordito no significa sano, por eso, si el niño empieza a engordar más de la cuenta, estos son los pasos aconsejados:

- Asesorarse por el pediatra o por un médico nutricionista especializado.
- Evitar el sedentarismo del pequeño: que salga al parque o que empiece con alguna afición deportiva.
- Estar pendiente de qué come y bebe el niño cada día.
- Evitar tener en casa golosinas o comidas muy calóricas.
- Enseñar con nuestro propio ejemplo.
- No burlarse nunca de él, apoyarle y ayudarlo sin hacerle sentir culpable.

CÓMO ACTUAR ANTE UN NIÑO CON SOBREPESO

Para empezar, no hay que obsesionarse y mucho menos transmitir al pequeño la sensación de que tiene un problema. La idea que debe guiaros es que el aumento de peso debe ralentizarse, pero no hacer perder peso al niño, lo que podría perjudicar su crecimiento. Así que desestimad los regímenes estrictos.

En principio, a los menores de cinco años se les debe dar leche entera y no desnatada. Pero ante cualquier duda lo adecuado es preguntar al pediatra.

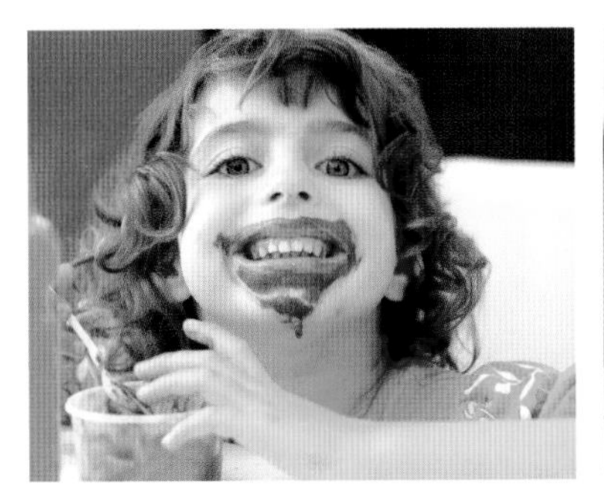

TÉRMINOS USUALES

Alimentación mixta: alimentación que se da durante los primeros meses del bebé alternando o combinando tanto la leche materna como el biberón de fórmula.

Areola: círculo oscuro que rodea el pezón.

Arrullo o toquilla: mantilla con la que se envuelve a los bebés para tenerlos en brazos.

***Body*:** prenda interior que usan los bebés para mantener el calor corporal. Es un cobertor del tronco (con manga larga, corta o tirantes), generalmente de algodón, que se ata por la parte inferior con unos corchetes.

Calendario vacunal: representación gráfica de las edades y dosis de vacunas que los bebés deben recibir desde el nacimiento para alcanzar la inmunidad ante determinadas enfermedades.

Calientabiberones: aparato eléctrico que calienta y mantiene caliente la leche del biberón.

Calostro: líquido amarillento que segregan los pechos los primeros días tras el parto, antes de que se produzca la subida de la leche, y que sirve para alimentar al bebé, ya que es rico en proteínas y grasas.

Cambiador: pequeño mueble alto que sirve para bañar y cambiar al bebé. También se llama cambiador a la mantita o toalla de tela forrada en plástico (o empapador) que se usa para cambiarles el pañal.

Canastilla: ropa y productos específicos para bebé que la madre recibe como regalo o prepara antes de que se produzca el parto.

Colecho: teoría que defiende el uso de la cama familiar o compartir la cama de los padres con los hijos.

Cólico del lactante: cuadro de llanto y dolor del bebé lactante que, a pesar de estar sano, le aqueja a última hora de la tarde y por la noche, normalmente hasta el tercer mes de vida.

Crisis de lactancia: momento en el que parece que la madre produce menos leche de la que el bebé necesita o que el bebé parece rechazar el pecho materno, que suele remitir con los días.

Cuco o moisés: cestito o cunita de mimbre, madera o tela, más pequeña de lo normal, que se usa en los primeros meses para que duerma el bebé.

Depresión posparto: episodio de angustia, tristeza y ansiedad debido a los bruscos cambios hormonales, que sufren algunas mujeres tras el parto.

Destete: momento del cese de la lactancia en el que el bebé comienza a comer con biberón o a variar su alimentación.

Dientes de leche: primera dentición de 20 piezas que son piezas más pequeñas y más blancas que los dientes definitivos; comienzan a caerse en torno a los seis años y dejan paso a la dentadura definitiva.

Episiotomía: pequeño corte o incisión quirúrgica que a veces se practica en la vulva para facilitar la salida del bebé durante el parto.

Eritema de pañal: eccema o dermatitis típica de los bebés en el área del pañal que se produce por la fricción, humedad, etc.

Esterilizador: aparato que elimina gérmenes de chupetes, tetinas, etc. Existen diversos métodos (en frío con pastillas, eléctricos con vapor, usando el microondas, etc.).

Expulsión de los loquios: durante el puerperio, la madre expulsa por vía vaginal los restos del útero y las posibles huellas que haya dejado la placenta tras el parto durante más o menos 20 días. Estos restos, en forma de pequeña hemorragia con coágulos, se llaman loquios.

Faldón: prenda ornamental parecida a una falda larga, que suelen llevar los bebés en bautizos y fechas señaladas.

Fase REM: de Rapid Eye Movements (movimientos oculares rápidos), es la fase del sueño en la que se producen

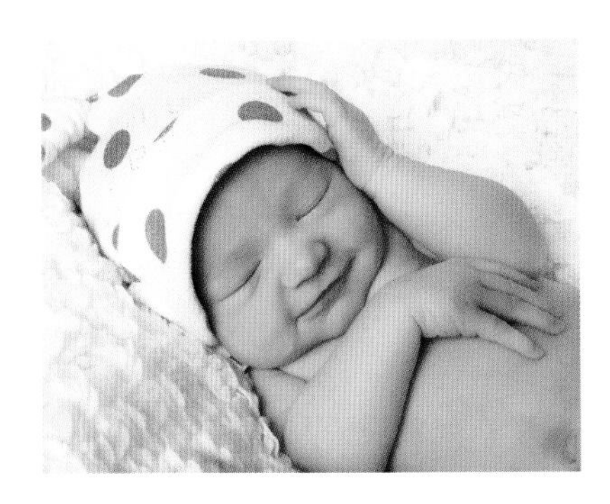

las escenas oníricas. Los ojos se mueven muy rápido y la actividad cerebral es similar a cuando se está despierto.

Figura de apego: muñeco o peluche que acompaña siempre al niño por las noches para evitar que tenga miedo y se sienta acompañado.

Fórmula de continuación: leche que contiene todos los nutrientes específicos para bebés a partir de seis meses hasta los tres años.

Fórmula de inicio: tipo de leche maternizada que sirve de alimento al bebé desde el primer día tras el nacimiento hasta los seis meses.

Gestación: periodo de aproximadamente nueve meses, también llamado embarazo, en el que la madre sustenta al bebé en su interior.

Gluten: proteína que se encuentra en gran cantidad de cereales y que puede provocar intolerancia, sobre todo en los celiacos, que no pueden consumir trigo, avena, centeno ni cebada.

Interfono: aparato de seguridad que permite escuchar al bebé si llora o se despierta mientras duerme, aunque los padres estén en otra habitación.

Intolerancia a la lactosa: afección intestinal que impide digerir la lactosa y puede causar diarrea, dolor, etc. Suele combatirse cambiando la leche y los productos lácteos por derivados de la soja.

Lactante: bebé que mama y se alimenta solo de leche materna.

Leche materna: alimento natural producido por los senos de la madre para alimentar al bebé. Contiene todos los nutrientes y elementos de inmunización y es el mejor alimento para el niño.

Leche maternizada: leche especialmente diseñada para alimentar a bebés que no pueden mamar, asemejándose en sus nutrientes de forma artificial a la leche materna.

Mastitis: infección en los pechos de la madre que da de mamar en la que se produce inflamación, dolor y fiebre.

Meconio: primer excremento, de color muy oscuro, de los bebés recién nacidos.

Mochila portabebés: bolsa que se ajusta al cuerpo para llevar en su interior de forma cómoda y segura a un bebé.

Muerte súbita del lactante: muerte natural que ocurre de forma instantánea sin presentar síntomas previos en un bebé aparentemente sano.

Patucos: botita, generalmente de punto, que se pone a los bebés para mantener los pies abrigados.

Percentil o tabla pediátrica: datos estadísticos de peso y altura en niños y niñas por edades que sirven al pediatra para valorar el crecimiento del bebé.

Pezón: parte más oscura y prominente del pecho materno por donde sale la leche.

Puerperio: periodo de tiempo que va desde el parto hasta que la madre regresa a su estado físico y psicológico normal, el mismo que antes de quedar embarazada. Se suele fechar en 40 días (o cuarentena) y también se conoce como posparto.

Reflejo de extrusión: reflejo por el que los bebés que comienzan a comer papillas sacan la comida fuera de la boca por no saber todavía el mecanismo para comer con cuchara.

Regurgitación: pequeño vómito o reflujo de alimento que el bebé lactante expulsa por la boca.

Sábanas de seguridad: sábana especial diseñada para impedir que los niños se caigan de la cama mientras duermen, permitiéndoles el libre movimiento.

Sacaleches: aparato para ayudar a extraer la leche materna de los senos.

Saco: bolsa de tela más o menos abrigada para meter al bebé mientras duerme o llevarlo arropado en la silla de paseo.

***Shock* anafiláctico:** reacción alérgica grave que puede derivar en desmayo, taquicardia, etc. e incluso resultar mortal.

Sobrepeso: acumulación de grasa corporal y aumento de peso en el que el índice de masa corporal está por encima del peso ideal, aunque no llegue a niveles de obesidad.

Somniloquia: parasomnia consistente en hablar dormido.

Sonambulismo: trastorno del sueño en el que una persona se levanta de la cama, camina y se desplaza haciendo movimientos totalmente dormido.

Subida de la leche: proceso en el que la madre comienza a fabricar leche materna para alimentar a su hijo recién nacido. Suele tardar entre uno y cuatro días.

Succión: reflejo de los bebés lactantes para poder alimentarse extrayendo con la boca la leche del seno materno.

Sujetadores de lactancia: sujetador especial que puede abrirse y cerrarse fácilmente por delante para dar de mamar al niño con mucha más comodidad.

Terror nocturno: trastorno del sueño en el que el niño grita y tiembla, aparentemente despierto, aunque en realidad está dormido.

Tetina: pezón artificial que se coloca en el biberón para que el bebé pueda succionar.

AMERICANISMOS

Aceite: óleo.
Aceituna: oliva.
Ajo: chalote.
Albaricoque: damasco, albarcorque, chabacano.
Aliño: condimento.
Apio: apio España, celemí, arracachá, esmirnio, panul, perejil, macedonio.
Arroz: casulla, macho, palay.
Cacahuete: maní.
Calabacín: calabacita, zambo, zapallito, hoco, zapallo italiano.
Cereza: capulín, capulí.
Chocolate: cacao, soconusco.
Col: repollo.
Coliflor: brócoli, brécol.
Frambuesa: mora.
Fresa: frutilla.
Garbanzo: mulato.
Higo: tuna.
Huevo: blanquillo.
Jamón: pernil.
Jamón de Jork: jamón cocido.
Judías: frijoles, carotas.
Mantequilla: manteca.
Manzana: pero, perón.
Melocotón: durazno.
Merluza: corvina.
Miga de pan: borona.
Nabo: coyocho.
Nuez: coca.
Patata: papa.
Pimiento: ají, conguito, chiltipiquín, chiltona.
Piña: ananás, abcaxí.
Plátano: banana, banano, cambur, pacoba.
Puerro: ajo-porro, porro.
Rábano: rabanillo.
Remolacha: betabel, betanaga, betenaga, beterraga, beterreve, teterrave.
Salsa de tomate: tomatican.
Ternera: jata, mamón, becerra, chota, novilla, vitela.
Tomate: jitomate.
Zanahoria: azanoria.
Zumo: jugo.